DU MÊME AUTEUR

Aux Éditions Gallimard

D'EAUX DOUCES, collection Continents noirs, 2004
HUMUS, collection Continents noirs, 2006
LES CHIENS NE FONT PAS DES CHATS, collection Continents noirs, 2008

CONTINENTS NOIRS

Collection dirigée par Jean-Noël Schifano

L'Afrique — qui fit — refit — et qui fera.

Michel Leiris

FABIENNE KANOR

Anticorps

roman

CONTINENTS NOIRS *nrf* GALLIMARD

à Nicolas

L'été prend.

De notre chambre d'hôtel au fond d'un couloir, j'entends les rires faire ricochet. Le silence aboli, les peurs primales reculent. Le soleil divertit l'homme, flatte en lui l'immortel. Sous la douche à faible jet, le corps propre de Jacques s'étire. S'offre à l'eau froide, convaincu qu'il n'y a pas mieux pour revigorer les chairs. Acte préventif, cet exercice, avec le temps, est devenu nécessaire. Matin comme soir, s'opère, matin et soir, agit. Lui fait du bien tandis qu'il m'abîme, m'ampute du désir de lui. Jacques sourit et mon corps se fige, se braque lorsque ses mains bégaient sous les draps. Sur son visage contracté par l'effort, mes lèvres hagardes se posent, puis cherchent un sens à la scène, une preuve tangible que tout ceci n'est pas vain. Jacques me caresse et il me faut feindre. Retenir le rictus, signature du mépris, gémir, fort, parce que c'est ainsi que j'ai toujours fait. C'est ainsi qu'il m'aime et que je le rassure. Cinq minutes qu'il me prend et j'en crève. Jure de décamper avant que la maladie de la mort ne se déclare et que nos corps chus ne deviennent tout à fait obscènes.

C'est fait. Jacques a fait. Son peu de sexe entre les cuisses, il ronfle, le sourire fat, merdique, de qui vient d'accomplir un acte héroïque. Je lui tordrais bien le cou pour voir la gueule qu'il a en vrai. Révélerais bien au monde son imposture, l'histoire d'un vieux, voleur de beauté, s'appliquant vaille que vaille à en conserver les gadgets. Mais le voilà qui se lève et s'habille. Soupire d'aise en chaussant ses babouches vertes. Comment fait-il, à soixante-douze ans, pour croire encore ? Penser dur comme fer que le destin d'un individu tient à rien ; une couleur qui porterait chance, un chat noir qui passe, un chien posté à un carrefour ?

Des toilettes où je me suis retirée, je le regarde polir notre bonheur. Le tailler sans talent, mais avec tout le zèle d'un antiquaire. *Tu es merveilleuse.* Des années qu'il rabâche ce discours. Le prend et l'administre à heures fixes, comme pour mieux vaincre l'idée de hasard, rendre notre union, et par là même son existence, moins vaine, plausible. *Tu es toute ma vie.* Facile à plaider lorsqu'on est en fin de carrière, promis à la grande casse.

Sûr de son bon droit, *au nom de l'amour*, Jacques s'approche et me serre. Met dans ce geste, communément appelé tendresse, toute l'ardeur qui lui reste, celle qu'il croit me devoir et qui m'infecte, me rappelle la suprême promesse. On frappe. Jacques et moi sursautons. Sommes, en cet instant, le même, un couple lié, solidaire, deux petites peurs qui se ressemblent. Mustapha, derrière la porte, nous rappelle que l'autocar part dans dix minutes, vous descendez ? Nous descendons, là où coiffés de chapeaux unisexes, des grappes de touristes boivent les images géantes d'un écran plat. D'un pas docile et mou, les voilà qui traversent le hall, franchissent les portes de ce faux quatre étoiles où la vraie Madonna, rabâche Muss le guide, plongea une fois nue dans la piscine. Une star d'Hollywood s'y serait aussi baignée ; un Jamie quelque chose, un nom à la fois beau et compliqué. Dans les yeux de Mustapha, des étoiles défilent, des Hummer, des avenues… Des barres qui brillent et montent au ciel. Partout en lui, l'immatériel Ouest s'incarne, dans cette façon qu'il a de *hugger* les étrangers, d'entrer dévotement leur nom et coordonnées dans le répertoire de son cellulaire.

Le trajet jusqu'à Fez est insupportable et je maudis Jacques de m'imposer cette épreuve. Entassés au fond du car, nous manquons de place, profitons de rares arrêts pour rafraîchir nos corps abrutis. Sous la poussière des vitres, notre petit couple modèle revient. Je baisse la tête et refuse d'admettre l'évidence : cette main de mari posée sur ma cuisse, ce bout de corps qui colle et me séquestre. Un virage de trop et me voilà sous son joug, au pas, car il me faut me soumettre, maintenir ce cap que nous nous sommes fixé ; il en va de notre équilibre. Et dans la chaleur suffocante de juillet, je fouille dans ma mémoire avec difficulté : depuis combien d'années vais-je et vis-je sans désir ? À quel moment ai-je commencé à compter ses rides, me détourner de sa chair ennemie, voir en chacune de ses défaites ma propre faillite ?

Vieillir pèse, mais c'est de voir se flétrir l'autre qui coûte, nous renvoie à notre gros lot d'hommes.

Et dire que toute cette nature nous survivra, médite à haute voix Jacques, en s'épongeant le cou avec le pan de sa chemise Mao en toile de lin. Que s'imagine-t-il ? Se croit-il plus fortuné qu'un autre et fait à l'idée de la mort au point d'en être détaché ? Je voudrais bien l'y voir, tiens, rivé à son lit d'hôpital, pas fichu de déféquer seul, geignant, braillant de peur d'y passer ! Ainsi fit mon père jusqu'à ce que son corps gâté, aviné, lâche et que le docteur, offensé par son insuccès face au mal, nous autorise à revenir, mère, Angèle et moi. Les couloirs de l'hôpital étaient interminables, une odeur d'eau de Javel se déplaçait avec les pieds. Prudentes, nous avancions sans mot dire, il nous semblait que le moindre souffle eût pu faire tomber le ciel sur nos têtes. La fenêtre, je m'en souviens, l'une des deux fenêtres de la chambre donnait sur un jardin. Des guirlandes annonçaient timidement Noël et je regardais mon père. Rangée dans un coin, j'observai cette fin de père, relié à la vie par je ne sais quelle sonde et dont le cœur parut soudain une seule ligne, infinie, sur l'écran de contrôle de l'électrocardiogramme.

Le docteur a baissé la tête et maman s'est assise. Après prier, a baisé nos joues, elle avait pris dix ans. Sur la photo gravée de sa plaque funéraire, elle ressemble à cette chose que je suis devenue. Ce corps sans couture, sens dessus dessous. Un truc — pas grand-chose en vérité — bourré d'arthrose et de varices.

Un dernier coude, puis Fez surgit. L'autocar ralentit, nous découvrons la médina *l'une des plus anciennes, que le Tout-Puissant me foudroie si je mens, la plus grande et la plus magnifique du monde*, s'exclame Mustapha en anglais, et en postillonnant dans le micro. Montrant du doigt la porte de la vieille ville, il ajoute qu'un million de visiteurs la franchissent tous les ans, et qu'à lui seul, que le Puissant le punisse s'il ment !, il peut se targuer d'avoir emmené cinquante mille touristes à Fez el-Bali.

Avant la visite, il tient néanmoins à nous adresser quelques consignes élémentaires de sécurité : ne jamais se séparer du groupe, éviter les culs-de-sac, les arrière-boutiques, les coups de soleil, les contrefaçons.

« Quoi qu'il advienne, feel free ! Les gens d'ici sont hyper-accueillants. Il n'arrivera rien, j'en fais mon affaire ! » conclut-il tandis que les portes du bus s'ouvrent pour laisser passer notre troupeau.

Les bobs collent aux têtes, la sueur pique les yeux. D'une vigilance économe, nous avançons groupés, sourds aux marchands qui, dans un franglais criard, nous exhortent à entrer voir. C'est qu'il y en a, dans leurs échoppes, de l'artisanat local, des poufs tout cuir, des émaux, des bijoux, des sabres, des kilims et aussi du thé, servi en trois temps, et bien que toujours trop chaud. C'est qu'ils nous ont vus venir, avec nos bonnes manières et notre lâche réserve, cette habitude de ne sourire qu'après coup, lorsqu'il n'y a plus rien à craindre ni à perdre.

— As-tu vu les jolis bracelets ?

La main de Jacques m'agrippe et me tire en arrière. Je recule et manque renverser le stand de bijoux touareg, de toute évidence faux, prétend mon mari, sans se soucier d'être entendu, et pire que faux, chers, ajoute-t-il, indigné, avant d'entamer la négociation. Il donne son prix et je le regarde faire, blaguer, tutoyer, bluffer, quitter l'atelier d'un pas décidé, y revenir en soupirant. Et je me rappelle ce temps où il vendait de tout, des détergents, de la moquette, des assurances-vie, du contreplaqué pour cercueils. Il portait la cravate alors. Et aussi la barbe, pour abuser de la candeur des gens. Tous les soirs, il s'en était vanté tandis qu'épaisses mais encore habiles, ses mains mettaient de côté, dans cette boîte que plus tard j'ouvrirais pour financer les études des garçons. Amasser, tandis que, face au reflet, je comptais mes premiers cheveux blancs, m'amusant, à mon âge, d'en avoir autant. N'était-ce pas là la preuve que je tenais bien de maman, que descendante d'une femme qui s'était fanée bien vite, je saurais, quant à la suite, à quoi m'en tenir ?

Compter, tandis que, nue sous les draps, j'observais son dos, les fesses, le pli du cou. Ce ventre étrangement mou malgré les exercices, la lumière que par pudeur, ou bien économie d'énergie, une main s'empressait d'éteindre. Combien de fois l'avions-nous fait? Combien de nuits l'avais-je laissé gâter mon corps?

Et puis les matins, hors le lit, au pied de l'immeuble. Ses lèvres à l'affût des miennes; ma mâchoire serrée; je ne veux pas être vue, je n'aime pas quand les gens s'imaginent. Compter le temps qu'il met à tailler son collier, cette barbe qui suinte lorsqu'il pleut, qu'il finira par raser pour ne plus ressembler à son père. Compter les fois, enfin, où, prise comme une bête, à l'aveuglette, sans conscience claire de ce que nous sommes en train de faire, je m'abandonne et, sûrement, peut-être, jouis. Ressens dans le bas du corps cette chaleur fugace, mais qui, au fil des jours, me revient en mémoire et me fait honte. Je n'aimerais pas que les gens supposent quoi que ce soit. Je ne devrais pas m'en faire; la plupart d'entre eux manquent de curiosité, vous collent un jour une étiquette qu'ils n'enlèveront plus.

Ainsi fit le clan de Jacques. Ainsi firent ses amis lorsque, se présentant à moi avant nos fiançailles, ils me campèrent le personnage. Quoi qu'il advienne, et bien qu'on ne sache jamais avec qui l'on se marie, Jacques resterait Jacques, un homme pas exceptionnel, mais de confiance, quelqu'un de bien, de doux. Et il y avait, dans leurs voix, toute la condescendance que contiennent les amitiés molles et pathétiques. Il y avait, dans leurs mots, la malveillance, l'envie de voir s'effriter le lien conjugal, que notre petit bonheur tout neuf dégringole et ne vaille pas mieux que ce qu'ils vivaient eux. Tandis que nous approchions du grand jour, je m'étais prise à douter. Qu'adviendrait-il si la parole de cet homme ne faisait plus le poids ? Que diraient mère, mes beaux-parents et tous les autres si, prête-à-marier dans ma robe de conte de fées, je reprenais ma main et fuyais la cérémonie ?

Mais le courage m'avait manqué ; j'avais dit oui à tout. À l'église, aux enfants, aux prêts immobiliers et à la mer, l'été. Le deuxième fils conçu, je devins l'incarnation du foyer moderne ; une vraie petite bonne femme menant de front son ménage et sa carrière, traitant, avec une efficacité égale, les problèmes au bureau et les rhumes des enfants. Et, sans doute, est-ce ce goût d'une vie bien réglée qui me fit supporter Jacques, me donna, davantage que le désir, la coutume de lui. C'est ainsi. Nous nous sommes habitués l'un à l'autre. Comme l'on fait avec les choses qui ne nous conviennent qu'à moitié, j'ai admis, avec le temps, la possibilité de mon mari.

Le rire cru de Jacques me ramène à Fez, dans cet atelier désormais fameux parce que mon époux vient de triompher. Le marchand a cédé, nous avons gagné trente dirhams, plus cinq, si l'on compte le porte-clef en émail que Jacques, à l'instant même où je tourne la tête vers lui, glisse subrepticement dans la poche de son pantacourt, me décochant un clin d'œil nerveux, me mettant, en somme, moi aussi, dans sa poche. *Quelle hardiesse !* Est-ce cela qu'il espère que je lui souffle, le cœur qui bat de courir un si grand danger ?

Et si j'en profitais pour régler mes comptes et payer tout ce que je dois encore à cet homme ? Lui verser un pour-boire, racheter mes heures sup, ces années d'extras qu'un couple s'inflige longtemps après avoir vécu. Je suis prête, Jacques. Vois, je n'ai plus peur de nous foutre en l'air.

— Tu n'as pas perdu la main, on dirait !

Ce n'est pas moi qui viens de parler, mais la femme de Jacques, celle qui tremble à l'idée de voir s'effondrer le château de cartes, qui se figure qu'on peut vivre sans respirer. Puis je l'embrasse, à peu près comme il aime, suant bien plus encore que tantôt, hâtant le pas afin que s'abolisse toute ressemblance entre lui et moi.

Il est midi lorsque nous rejoignons le groupe, avachi en terrasse devant des sodas sans glaçons. Rompus aux lois du marchandage et à l'art d'attacher le chèche, ils ont baissé la garde et jettent autour d'eux des regards juvéniles et distraits.

Une paille entre les lèvres, Jacques s'est mêlé à eux. C'est à l'adolescence qu'il s'adresse, deux Brêmoises, un peu gourdes et forcément larges, qui, n'ayant pas encore d'expérience, se figurent que les vieux sont des anges et qu'ils n'ont pas de sexe. Dans l'indolence où l'a plongée son ignorance, la plus grasse, pour s'éventer, a décroisé les jambes. En bout de cuisse, on distingue sa culotte bariolée, comme un gros berlingot. Croisant mon regard, Jacques se reprend.

— Viens donc te mettre à l'ombre ma chérie ! Ce soleil ne nous vaut rien.

Quand cessera-t-il de m'imposer sa loi ? De se figurer que faire jeune c'est rester jeune, qu'une bonne hygiène de vie et un entretien régulier du corps suffisent à bouter la mort hors de soi ?

Sous le soleil où obstinément je demeure, j'entends poindre son impatience. Elle lui ressemble, elle m'est familière. J'avais la peau jeune et je portais du blanc la première fois qu'elle s'est exercée. C'était en 69, dans un Nord de France, un jour de juin. *De vous aimer et de vous chérir jusqu'à la mort*, voilà ce qu'il assénait le prêtre tandis que, jugeant le temps long, Jacques frottait frénétiquement ses mains, suait à lourdes gouttes, balbutia quand il fut temps pour lui de parler ferme. Sur les photos de notre mariage, je n'en mène pas large, moi non plus. J'ai dans les yeux la peur des bêtes. Et je tremble, oui.

— À vous deux maintenant ! Dites-nous tout, comment vous êtes-vous rencontrés ?

Sans crainte d'importuner ou de paraître indiscret, Mustapha nous invite à le rejoindre à sa table ; les vieux n'ont plus de secrets, leur vie relève du domaine public. Les yeux braqués sur mes tennis, je feins de n'avoir pas entendu la question, compte sur la chaleur, le bruit, ma configuration dans l'espace — je suis assise en retrait — pour esquiver et enfouir notre histoire de couple sous le sable. Le guide, enthousiaste, de nouveau interroge. Sans doute pense-t-il qu'il entre dans ses compétences de nous distraire.

— Dans un vrai, vrai cinéma ? Avec des gens partout et une salle toute noire ? *(Son rire est forcé. Il multiplie les clins d'œil en direction du groupe.)* Vous n'avez pas froid aux yeux vous ! On ne dirait pas, comme ça, en vous voyant, mais vous devez être de sacrés p'tits coquins, non ?

Flatté, Jacques démarre et se lance dans une récapitulation laborieuse des faits. L'affaire classée, il trinque à tous les amoureux de la terre et vide d'une traite son pastis, preuve d'une santé de fer confirmée par les résultats de son dernier check-up.

— Ça, c'est un homme ! conclut Mustapha, hilare, tout en tapant du coude une vacancière *(JF taille 38. 1,73 m)*, arrivée la veille à l'hôtel, sans bagages.

— It as goude fore vou ?

L'Anglaise acquiesce, avale une gorgée d'eau gazeuse avant de se plonger dans l'analyse d'une brochure touristique. Nulle impatience dans ses gestes, elle n'attend rien, sait probablement qu'elle ne finira pas le séjour seule, aura d'ici peu un homme à aimer, un type comme ci, comme ça, marié ou pas, qui, au retour de voyage, la rappellera, passionnément, un peu, plus du tout.

C'est une vraie blonde vue de près, avec des yeux en couleurs. Une jeune ; à peine trente ans, un corps encore ferme. Des seins dont on continue de croire qu'ils sont beaux et pleins. Foutaises ! Je ne leur donne pas dix ans pour dégringoler, pendre jusqu'à n'être plus que tétés, flasques, irrécupérables quoi qu'en disent les vendeurs de miracles.

Un quadragénaire désœuvré en profite pour s'approcher de la table et l'aborder. Elle bégaie, s'excuse pour la langue. *Ne pas comprend* le français, ni non plus le Français, trop compliqué. L'homme s'incruste, fait plus grand assis, cause avec ses mains, lâches, propres, accoutumées aux plaisirs d'occasion.

— Vous me rappelez quelqu'un.

Il poursuit. Pas assez fort pour couvrir les crotales des Gnawas, les youyous des Allemandes, les *oh* en série de l'assemblée, certaine de vivre là l'un des moments les plus intenses de son existence. Levé, à l'appel des musiciens, le voilà qui danse le groupe, le corps volontaire, la tête pleine de désirs d'Orient. Tandis que les hommes s'essaient aux castagnettes, les femmes s'échinent à faire parler leurs hanches sans perdre le rythme, sans ressembler à des truies. Puis le pire se produit. La sueur. Toute cette eau qui coule et lie les peaux. Nom de Dieu, ils collent, les gens, ils sont soudés, font bloc. Le peuple des vivants s'anime ! Le cœur tourmenté, je m'accroche à la table et attrape mon verre. De l'eau, vite ! Glacée, à chiasse, mais qui, en cet instant, est le seul moyen qui me reste pour lutter contre la nausée.

Leur bamboula a cessé, la foule se disperse et je cherche des yeux l'Anglaise et le Français. Me rappeler leurs gestes, caresser leur ombre, baiser le sol qu'ils ont foulé de leurs pieds. Mes nouveaux dieux, mes idoles, sourds au tic-tac du monde, qui, assurément, ce soir s'uniront tandis que, défaite et sèche, je coucherai mon vieux corps dans le lit de l'autre. Supporterai ses râles, ses gestes, cette peau de vieux qu'il frotte contre la mienne et toujours frotte. On dirait deux fossiles, nos corps, quand il fait cela.

Le déjeuner est infect. Le ventre éprouvé, j'abdique et laisse faire le guide, payé pour nous faire tout visiter. Excédée par l'enthousiasme de mon époux, je m'éloigne de lui pour me rapprocher d'une compatriote et son fils.

— Vous avez un bien joli petit garçon.

C'est assez pour gagner la confiance d'une mère. Or donc, celle-là fraternise et, me prenant pour une vieille dame ordinaire, m'autorise à porter son fils, accéder au dernier étage d'un atelier pour profiter de la vue. L'enfant est si chaud dans mes bras, comme il me plairait de l'étreindre. Le serrer pour me repaître de sa jeunesse. Je donnerais tout — mais que me reste-t-il ? — pour de nouveau en être. Ou ne plus être du tout.

La mère vient de noter mon trouble et s'inquiète. Me parle avec douceur, comme l'on fait avec les fous ou une bête sauvage. Elle ne m'en tiendra pas rigueur, elle me le jure, à condition que je lui restitue son fils. Il me faut un certain temps avant de réaliser ce qui est en train d'arriver.

Que se passe-t-il ? Que fout dans mes bras cet enfant ? Et qui s'agite, et qui pleurniche comme s'il craignait que je ne le jette en bas, là où les hommes tannent et teignent. Là où ma peau bonne à battre servirait enfin à quelque chose. Quelques mètres me séparent des cuves en couleurs, il me suffirait d'un saut. Mais la mère a crié et me fait perdre mes moyens.

— C'était pour rire, je fais, en déposant son fils à terre. Tous les enfants aiment avoir le vertige. Et puis, je n'ai jamais fait de mal à une mouche. Voyez comme il vit, voyez comme il continue à me sourire !

Le sang est revenu sur les joues de la mère. Elle remercie et reconnaît s'être fait du souci pour rien.

— C'est normal, je réponds. Je suis exactement comme vous avec mes petits. Peur qu'ils se cognent, qu'on leur jette des cailloux à l'école. Peur qu'ils ratent leur vie et passent totalement à côté.

— Quel âge ont-ils ?

Elle a gardé sa voix et reparle comme à quelqu'un qui n'a plus toute sa tête. Je réponds que le plus grand doit avoir sept ans, que si elle ne me croit pas, parce que je vois bien qu'elle ne me croit pas, je peux lui montrer. Que j'en ai plein des photos à l'hôtel. Elle ne questionne plus et se contente de marcher, court presque en entendant klaxonner notre chauffeur.

*

Je n'ai pas toujours été méchante.

J'étais plus commode lorsque j'étais jeune. J'avais du cœur et du temps, tout ce dont un homme a besoin. Encore pleine de cette adolescence immobile, où tout est supposé arriver, mais où jamais rien d'opportun n'advient, j'étais, je l'affirme sans amertume ni rancœur, une bécasse, disposée à croire qu'on peut mourir d'amour parce qu'un homme a brutalement cessé de vous désirer. Un homme à qui j'avais offert ma vertu. Et pour de bon, il m'avait prise. Vers qui, ce grand soir-là, je marchais d'un bon pas, de crainte que le Ciel, qui voit tout, ne me foudroie, que cette pluie qui depuis plusieurs semaines accablait notre ville ne me fasse payer cher ma faute ; n'avais-je pas trompé ma mère en lui annonçant que je dormirais chez Paule ?

Au mépris de ma bonne éducation, de cette angoisse qui me coupait les jambes, le souffle, qui me tordait le ventre, j'ai traversé Paris pour rejoindre Francis. Il m'avait dit vingt heures à l'hôtel des Bretons, avant d'ajouter que nous irions, plus tard, au bal, lorsque les pompiers lâcheraient les ballons dans la salle. Les draps de la chambre n'étaient pas propres. Il n'y avait pas de douche, pas de lumière, peu de temps. C'est lui qui a commencé. Et je pleure. Et c'est bien vrai qu'il paraissait si calme en reboutonnant son pantalon.

Nous nous sommes revus quelques fois, puis plus du tout. Une nuit, il n'est pas venu. J'ai d'abord songé qu'il lui était arrivé quelque chose, et je me suis assise.

Je m'appelais Louise, de mon nom de jeune fille Serin. Mais les miens ont toujours préféré dire Citronnelle.

J'ai attendu cinq ans pour réagir. Un jour, je me suis suicidée et ils ont transporté mon corps à l'hôpital. Je ne saurais dire combien de temps j'y suis demeurée, ce dont je me souviens en revanche c'est de mon cri. Chaque fois que je longe le couloir qui mène aux chambres, je crie. L'odeur de mon père, de sa mort, est encore si tenace. Le matin, ma mère me visite, bossue, diminuée, mastiquant ses prières sues par cœur.

Je n'ai pas toujours été dure. Question de temps. Les enfants sont venus vite. Il paraît que c'est mieux ainsi, que les chances de fécondité d'une femme déclinent à compter de vingt-huit ans. J'en ai eu trois, que des garçons. Je n'ai pas eu de veine ; une fille reste toujours la fille de ses parents.

De mes fils, seul Pierrick a maintenu le contact. Une fois par mois, il téléphone. Généralement, la conversation n'excède pas cinq minutes, mon garçon est un homme pudique, tout le contraire de son père auquel il s'est juré de ne plus adresser la parole.

*

De retour de Fez, j'ai refusé de dîner en ville et suis retournée seule à l'hôtel. À Jacques, frais comme un scout, aux joues badigeonnées de lotion antimoustiques, j'ai prétexté avoir des maux de tête. Dispensée, je me suis rendue au bar et, au garçon, ai commandé quelque chose de bleu. J'avais envie de boire, comme l'on boit dans les films, comme un trou, et sans importun autour. Ce n'était pas bien parti. Dans la section *lounge* où tout semblait avoir été conçu pour rendre la vie *easy*, *cosy*, *friendly*, un petit homme ventru et sans talent accordait un piano à queue récalcitrant. «La disco party va bientôt démarrer», me lança-t-il sur un ton d'excuse comme pour me signifier que je n'y étais pas la bienvenue, malgré ma belle volonté, la *tenue correcte exigée* que je portais.

J'ai haussé les épaules, tourné les talons, marché, avec toute la vigueur qu'il me restait, jusqu'à un fauteuil club sans vis à vis. Le serveur est arrivé et mon cœur s'est serré. J'ai frémi en le voyant déposer sur la table un grand verre de Badoit-menthe. S'était-il figuré que je ne supportais pas l'alcool ? Avais-je, à ses yeux, dépassé l'âge d'en abuser ?

Je l'assurai du contraire, et, m'efforçant de sourire, d'être, à mon tour, *lounge*, je l'écoutai débiter, comme on déchiffre une ordonnance, la liste de tous les cocktails.

J'en étais à mon troisième Cheyenne lorsque mes yeux butèrent sur ceux de l'Anglaise. La bouche lilas, le cheveu travaillé, elle semblait prise d'une urgence nouvelle, cette impérative fièvre qui traditionnellement précède le tout premier bal ou le dernier rendez-vous. S'accoudant au comptoir, cambrée afin qu'on mieux vît son string, elle héla le serveur et passa commande. En vérité, elle n'avait pas soif. C'étaient des caresses qu'il lui fallait, un type assez type pour lui en fournir, lui jurer qu'avec des courbes, une bouche, une chevelure comme ça, elle n'aurait jamais à s'en faire. Puis le Français entra en scène. Un bouquet dans les mains, un sourire soldé aux lèvres, il reprit son numéro de tantôt. Raconta vite et mal combien il était ému, heureux, confus ; un coup de fil l'avait mis en retard : une vulgaire histoire d'argent ; l'homme était dans les affaires. Soucieux de se racheter — il était vraiment dans les affaires — il avait écumé les boutiques du quartier et n'avait trouvé que cela. Il tendit son bouquet. Mais enfin, elles étaient rouges, d'un rouge passion, crut-il bon d'ajouter avant de baiser la main de l'étrangère.

C'est après que ma colère est montée, lorsque ce salaud s'est enhardi à la bécoter et qu'au lieu de l'envoyer paître, l'autre s'est mise à gémir. Sous mon nez, faut quand même pas exagérer ! Une main sur son mamelon droit, l'autre sur sa croupe, il s'en moquait pas mal de faire dans la dentelle. Alors, oui, j'ai vu rouge ! Parfaitement, je me suis levée. Lui ai administré une paire de claques et lui ai dit son fait.

— Voleur ! Menteur ! Chien !

— Mais qu'est-ce qui vous prend nom de Dieu ? Il faut

vous faire soigner ma vieille si vous perdez la tête ! Plus ça vieillit, plus c'est con ma parole !

Le piano déglingué s'est arrêté. Mon corps tout entier brûle. Ne sait-il donc pas que l'on ne parle pas d'âge avec une dame ? Qu'il arrive un temps, plus tôt qu'on ne le croit en vérité, où ce mot sonne comme une injure et blesse comme une grenade ? Et puis qui lui a dit que j'étais vieille d'abord ?

— Qui vous a dit, monsieur, que j'étais… âgée ?

J'ai dû m'exprimer trop ardemment. Plus une mouche ne volait lorsque j'ai regagné ma chambre en courant. Recroquevillée en boule sur le lit, je m'efforce de retrouver mes esprits. Inspire, expire, jusqu'à ce que le triple Cheyenne remonte. Penchée au-dessus de la cuvette W-C, je vois tout bleu. De quoi faire la mer.

Sous la lumière intraitable de la salle de bains, je récapitule. Comment a-t-il dit déjà ? Vieille comme monstre, comme… Vieille comme merde. À liquider.

À croupetons dans le bac à douche, je noie mon affliction sous des litres d'eau calcaire. Que, pour de bon, ma peau se décolle et disparaisse dans le siphon. Je frotte, mais la peau de vache tient, j'essuie, mais le corps reste, si peu présentable.

Dans le couloir déjà, la voix de Jacques me rappelle à l'ordre. Allègre, emplit la chambre et déballe : la soirée, les gens dans la soirée, la vie des gens dans la soirée.

— Et toi ? Ça va mieux ? Si tu avais vu ça ! (*Jacques évoque le repas.*) Excellent. Rien à redire. Pimenté, mais ce qu'il faut, pas comme la dernière fois chez… Comment s'appelle-t-il encore ? Mais si, tu sais bien… Mais si, j'te dis, celui qui nous racontait que sa fille était partie travailler à Milan... bref, tu vois qui j'veux dire?

Je sors de la salle de bains et, me soustrayant à son regard, m'enveloppe dans une robe de chambre à large col.

— Tu as froid?

— Je suis fatiguée.

— Tu ne veux vraiment pas faire un tour en bas, à leur sauterie?

— Je n'ai pas la tête à fêter.

— Ça fait combien de temps qu'on n'a pas dansé, toi et moi? Tu sais comme j'aime ça, quand tu mets ta petite robe bleue, et que je te fais tourner. Tu sais que ça me rend fou, ça? Tu sais que je ne peux pas te résister.

Jacques s'est approché. Je peux renifler son haleine, l'excès de glucose et de désir. C'est foutu; ses mains caressent la dentelle du col. D'où me viendra le courage de refuser?

— Tu as raison, après tout, c'est une bonne idée. On pourrait sortir, je suis restée toute la soirée enfermée. Mais alors, quittons l'hôtel et allons voir à quoi ressemble la ville.

Avant qu'il ne change d'avis, je retourne dans la salle de bains et m'applique autant que faire se peut à ressembler à une femme. Sous le nouvel éclairage (une ampoule vient de sauter), je gagne en grâce, perds mes joues, symbole d'une bonne santé et qui fait dire aux gens que je les enterrerai tous. Maintenus dans un décolleté mille fois vu, mais de bon goût, mes seins prennent de la hauteur. Une étole devrait suffire à en camoufler la lourdeur. Cette jupe mollet n'est pas si vilaine, pas bleue, mais efficace, taillée pour trahir l'architecture des corps, leur redonner de la verdeur quand il ne leur en reste plus. Des talons, pour finir, et me voilà en place, dans cet espace miné, si peu vaste, que savent intuitivement reconstituer les femmes. Je connais cette pièce. J'y ai vécu moi aussi. J'en sais l'attente, l'ennui, les peurs, cette envie qui nous prend parfois de la quitter. Je connais la fuite, l'œil qui scrute l'horizon, s'en rapproche avant de buter sur quelque chose de dur mais d'intime, de familier : les murs d'une maison. Revenir, c'est là la vie de tant des nôtres, le legs que nous transmettrons à notre tour.

*

Un jour, je me rappelle être partie. Les enfants étaient si jeunes. Jacques travaillait, et, dans cette maison sans étage, où j'étais supposée avoir pris ancrage, j'ai pensé que j'avais gâté ma chance, que si je souhaitais la retrouver, alors il fallait agir. Ainsi disent les grands, ceux qui mènent leur vie comme l'on monte une entreprise. J'ai embrassé mes fils — l'un d'eux criait si fort —, mis quelques affaires dans le coffre et roulé des kilomètres de routes, d'avenues, de boulevards. Et rien pour m'arrêter. Plus personne pour penser à ma place, me jurer que je le regretterais, qu'avec de gros seins comme les miens une mère n'avait pas le droit d'abandonner son foyer, que, tant qu'elle servait, elle n'avait pas son mot à dire, que c'était ainsi depuis la nuit des temps, depuis ce jour où une femme n'avait pas su dire non.

La voiture filait et ce n'était plus mon affaire. Ce n'étaient plus mes enfants. Ce ne serait plus jamais comme avant. Puis quelque chose s'est produit sur l'autoroute. Un accident, des gens. Des ombres ont hurlé comme si c'était la fin du monde. Comme si tous les efforts que les pompiers déployaient ne serviraient bientôt plus à rien. J'ai voulu faire demi-tour, mais des camions bloquaient la voie. Je n'y voyais plus rien, une fumée épaisse et têtue s'agrippait au pare-brise.

J'ignore comment je suis sortie de là, à quel moment j'ai laissé ma mauvaise conscience prendre les rênes, faire machine arrière vers cette maison où Jacques soupait, ni furieux, sévère ou même soucieux, mais quiet, presque heureux ; sa journée avait été fructueuse : il avait vendu deux machines à café.

Les petits dorment, avait-il ajouté juste après, avant de me complimenter pour le gratin aux choux-fleurs.

*

Mon corps est sauf, ce soir. Mon mari n'a pas eu la patience d'attendre et s'est endormi dans le fauteuil. Entre ses lèvres, je découvre la salive, un filet blanc vin qui, maintenant, coule, mouille le col, s'attend sans doute à ce que je le nettoie. Une femme sait s'occuper de ces détails-là. Mais je laisse faire l'eau, fascinée par ce corps qui s'abandonne, consent, pour une fois, à se montrer tel qu'il est. Si l'épiderme a pris, l'expression est la même qu'il y a quarante ans. Les amis n'avaient pas tort : Jacques restera toujours Jacques, comme Paris, comme l'amour, comme tout ce que font d'ordinaire les femmes pour plaire aux hommes. Ce n'est pas de la constance, c'est autre chose : une disposition particulière à se contenter de ce qui est, à ne rien imaginer d'autre que cette femme-là, cet appartement cossu dans le XIVe, ce corps qu'il ne voit plus faillir, à force de l'habiter tout à fait.

Je vais te tuer Jacques. Ce n'était plus tant le mépris qui nourrissait mon cœur quand je me suis agenouillée près de lui, mais la haine. Je haïssais mon mari au point de le saigner. Mais il me manquait la colère.

Un léger tremblement traverse son corps tout entier, qui force ma bienveillance, et m'oblige à fermer la fenêtre. Cette mécanique des petites attentions se poursuit : libérer les pieds des chaussures, dénouer le nœud de la cravate, plier le pantalon, le suspendre à un cintre. Ce n'est pas tout. Il y a ce corps à mettre au lit jusqu'à ce qu'il prenne somme. Qu'à présent, hors de danger, il fasse sa nuit, cet homme qui jusqu'au bout restera mon mari.

Ainsi ai-je fait avant d'éteindre l'interrupteur et de quitter l'hôtel. Taxi ? Non, merci. Je peux encore marcher. Je veux marcher et me débarrasser de ma si ancienne vieillesse.

De quand date-t-elle ? Probablement de cette nuit de Noël où attablée, en famille, autour d'une viande blanche mal cuite, la conversation dure. Il fait lourd. Ma tête chauffe, mon corps, qui, pour un peu, ouvrirait grand la fenêtre, malgré la neige — demain, boue —, cette toux qui depuis plusieurs jours s'est installée. Chez les Jacques, on ne s'en soucie guère, une seule chose compte : être là coûte que coûte, d'où que l'on se tienne, et qu'importe le vertige. Reste l'enfance, assise au pied du sapin, bloc anonyme sans visage ni devenir, sorte d'alibi dont les grands usent pour donner l'impression d'avoir une vie bien à soi, des intérêts particuliers. Et ce salon sans courant d'air, devenu salle de bal à suer, où, alignés sur le mur, les portraits des ancêtres ont perdu de leur superbe, ressemblent à ces visages sans traits, ornant le dessus des boîtes de chocolat. C'est à eux précisément que je songe, lorsque ma belle-sœur, d'une voix rude et sèche, m'interpelle :

— On dirait que tu as grossi?

Prise au dépourvu, je chancelle et feins une extinction de voix afin de mieux préparer ma défense.

— C'est la robe. Les rayures, c'est trompeur.

Mais Odile insiste. A mis les mains sur ses hanches; fait sa conne, la maîtresse, la méchante, peu disposée du tout à me gracier.

— Non, non, je t'assure, tu as grossi. Tu n'étais pas comme cela avant.

— Avant? Mais avant quoi?

— Avant, autrefois. Ça doit bien faire cinq ans qu'on ne s'est vues, non?

Je cours aux toilettes. Deuxième porte à droite. Rends comme une vache. Café, dessert, plat, entrée. En retour, attrape le mal de peau, cette brutale évidence que le corps change. A changé. Changera, avec ou sans rayures.

De retour à table, je ne décoince plus un mot. Avale deux digestifs, priant pour que la soirée tourne court et que l'époux de ma belle-sœur ait bu assez d'alcool pour se taire. Trop tard, à peine grisé par le cognac, le voilà qui grimpe sur la table et engage la compagnie à danser. La chenille! meugle-t-il tandis que les enfants nous accaparent et nous entraînent. Comme toujours, Jacques est en tête, sa serviette de table autour du cou, un sifflet péteur dans la bouche et cette manie qu'il a de toujours en être. Profitant de la chute d'un des siens, je me fraie un chemin jusqu'à la salle de bains, là où deux nièces, l'œil humide, se préparent à sortir.

Mes larmes coulent en les observant. Je songe à *avant*, lorsque j'étais jeune et que les hommes pouvaient tout me pardonner. Dans cette maison de Noël où je n'ai désormais plus ma place, je me souviens de cette plage d'été. Derrière moi, il y a ce couple qui se sépare et sait d'avance que les ruptures les moins brèves ne sont jamais propres. À celle qui souffre, l'homme raconte l'idylle, cette femme dont il jure être amoureux, comme s'il suffisait de tomber amoureux pour être pardonné. Celle qu'il a choisi de quitter se tait, se mord les lèvres pour ne pas faillir. Dans sa douleur, elle se rappelle la consigne : faire la dure, ne pas perdre la face, puis, brusquement, passer à l'attaque, enclencher cette phrase interdite : *Les femmes de mon âge, ça s'oublie vite.*

Ils ont cessé de marcher. Sans doute se détestent-ils pour de bon à présent. Ils ont cessé de parler et j'entends ses pas, ses pas à elle, lourds, son corps, sans ressort, dans l'eau déjà. Demeuré seul sur la grève, l'homme en me croisant me sourit. J'ai répondu bonjour, j'avais vingt ans.

J'en ai cent de plus lorsque nous prenons congé de la sainte famille. Un siècle, que je vomis jusqu'à perdre haleine, pliée en deux dans cette fraction de nuit.

Entre mes cils collés par les larmes, je vois s'estomper les rayures de ma robe, comme par enchantement. Je suis fatiguée. Jacques me prend dans ses bras. Lasse, oui, mais pas folle, assez lucide pour refuser l'étreinte, cette tape fraternelle qu'il croit bon me donner dans le dos avant d'ouvrir la portière du mort, le galant homme...

Un goût de Javel emplit ma bouche puis la voiture démarre. L'index de Jacques presse un bouton. À la radio, une ménagère de moins de trente ans est une femme épanouie depuis qu'elle utilise son nouveau détergent. Dalida chante. Un ministre fait des promesses. Jingle. Lio est en conversation avec Ouélebeque avant que le doigt ne vire à gauche, à l'endroit exact où une spécialiste du sentiment amoureux lâche un scoop : l'amour dure trois ans. Au-delà, c'est pour de faux, *mon œil*, un sinistre arrangement entre partenaires. Avec nos quarante années de mariage, Jacques et moi n'en menons pas large, entrons dans la catégorie des trésoriers et des menteurs. Jingle. Réclame. Puis la voix de Nina Simone, hors sujet, hors contexte, déversant son *Spring is Here* dans nos oreilles.

— Tu rêves ?

— J'écoutais.

— Parce que tu y crois, toi, à cette théorie ?

— J'en sais rien. C'est vrai que les sentiments évoluent avec le temps. Tout change, c'est la vie.

Ce n'est pas très malin ce que je viens d'ajouter mais j'ai envie d'être bête ce soir. Fermer ma gueule ou l'ouvrir pour rien. Faire la vache face à la route. Toute ma vie, j'ai fait semblant d'être émancipée, une femme *Barbara Gould*, capable de piloter un avion, poser un parquet flottant, avoir plusieurs orgasmes, écrire des livres sur Hugo et sur la mécanique quantique. Toute une vie à m'inventer des couilles, prouver qu'on peut tout faire, qu'importent l'âge et le sexe. Chef de rubrique, dans un magazine féministe, j'ai fait partie de l'élite, de cette France qui ne pense plus et vote par principe à gauche.

Déterminée, du moins en théorie, à changer le monde, j'ignorais alors que j'étais un pion dans la matrice. Une femme comme une autre, condamnée au vieillissement, à plus d'emmerdes, à moins d'amour. Sous ma robe dont les rayures se dressent comme des barreaux, je sens pointer mes poignées de haine.

— Quelques kilos en plus ou en moins, c'est égal puisque je t'aime.

Elle est bien bonne celle-là ! Comme si l'amour faisait maigrir ! Et puis ce n'est pas le problème. Ce n'est pas de poids, mais d'âge dont il est question, du poids de l'âge précisément.

La neige a cessé de tomber. Paris Est s'éloigne. Penaud, Jacques dépose sur ma joue un baiser de pédé. Croire que l'on vieillira ensemble est la plus grande supercherie de l'amour.

*

Casablanca ne dort pas. Partout des gens qui, qui, sans doute, se figurent qu'en lieu sûr je me rends, que ma présence dans cette nuit-là n'est qu'un accident, le prélude nécessaire à un sommeil à faire du bien, même s'il ne répare plus depuis longtemps. Sans doute s'imaginent-ils ces gens dont, dont je ne comprends pas la langue, qu'il est bon de faire de l'exercice lorsque le corps baisse, que marcher n'a jamais fait de mal à personne, que marcher c'est bon pour la santé. Les voix s'éteignent à mon approche, comme pour marquer le respect, à avoir, à garder, en présence d'un aîné. Loin des hôtels, hors tutelle, la ville n'est plus la ville, mais une cité sans plan, s'offrant sans balisage ni office du tourisme. Au bout des ruelles, je découvre ces routes et quelques, abîmées par le vent et l'iris jaune des voitures. Après l'avenue, s'étendent des terrains vagues où errent des ombres qui cherchent aventure. Et puis le fou, comme dans toutes les villes du monde. Celui qui prend pour tous, qu'on chasse à coups de pierres pour donner l'exemple. Leur fou est folle, dort et hurle n'importe où. Escalade les réverbères pour attraper les étoiles. Ces gens, on ne les rencontre jamais en vacances. Il faut du temps pour cela. Assise sur un banc, je la regarde agir, cette folle dont l'opiniâtreté me fascine.

Elle approche et, prenant place à mes côtés, caresse ma nuque.

Il y a bien longtemps qu'on ne m'a pas touchée de la sorte, je veux dire : avec autant de naturel et de détermination. D'ailleurs, je l'avais même oubliée, cette partie-là de moi, en avais perdu l'aspect particulier, l'extrême douceur. Se peut-il donc que mon corps soit complètement sorti de ma tête ? La folle touche encore. Et cette caresse qui me révèle me fait monter la joie. Je ris à mourir de rire je ris. C'est si bon de rire ainsi, depuis quand n'ai-je pas commis un tel rire, un tel pied de nez à l'Inéluctable ? De grâce, laissez-moi encore ce rire, je le veux mâcher jusqu'au bout. Et tant pis si crever en riant ne se fait pas, si les bonnes manières interdisent à un tel éclat de rire d'exploser.

Combien de temps ai-je laissé faire la folle, tandis que la lune, dans la brume, s'enfonçait, qu'au loin, à côté, maintenant, une voiture roule et freine, des policiers m'aveuglent de leurs torches à attraper le voleur. Dans un français d'Apollinaire, l'un d'eux s'assure que je vais bien, si je n'ai rien ou plutôt tout : argent, carte de crédit, papiers. *Veuillez vérifier madame s'il vous plaît.* J'ai repris ma peau de vieille et m'exécute, mais mes poches sont vides ; la folle m'a volée.

Aucun consulat n'ouvrant la nuit, je franchis le seuil du commissariat et atterris dans le service des plaintes contre tout. Celui-là soupçonne son employé d'avoir détourné de l'argent. Cet autre vient de se faire racketter. Celle-ci a perdu sa voiture en une seconde. Toute la nuit, chaque nuit, la lutte entre le bien et le mal s'engage. Rares sont les musulmans. Sans doute parce que les temps ont changé. Aujourd'hui, on ne coupe plus la main des voleurs. C'est en substance ce qu'explique l'inspecteur, encastré dans son bureau et qui, faute de pouvoir me guérir, me prévient. Au cas où je ne l'aurais pas encore constaté, le pays est pauvre, la ville pleine de quartiers où une femme ne doit pas aller, qui plus est lorsqu'elle est vieille. Pas être là... À moins qu'elle ne le veuille. Qu'il n'y ait, dans cette ville où une femme qui se respecte ne traîne pas, plus personne, derrière une porte, à l'attendre, ni belle-mère, ni enfants, ni chien. C'est ainsi, depuis que le monde est monde, c'est ainsi que les femmes doivent faire. S'ensuit un interrogatoire en bonne et due forme où, jurant de dire toute la vérité rien que la vérité, je raconte Jacques, l'hôtel, Madonna, la visite de Fez et compagnie. Rassuré sur ma moralité, l'agent me tend sa carte, et me prie, dès mon retour à Paris, dans la maison de mon mari, de lui expédier du fromage.

Le décor a changé. La nuit révèle ses odeurs, des poubelles et des poubelles à cafards et à rats. Ce monde est leur, là où ils vivent, engraissent, se reproduisent. Eux font la loi, eux seuls sont rois, s'attaquent, tandis que je tente de les éviter, aux poignets d'un enfant-tronc. Aucune agence ne vous en parle, aucun guide touristique ne vous la montre, cette misère qui, tutoyant le luxe, fait tache, est presque de trop. Suscite, chez le voyageur, cette compassion instantanée mais éphémère, utile puisqu'il paraît que donner aux pauvres rend meilleur. Comme les carottes, rend aimable et optimiste. La nuit durera jusqu'à ce que revienne le jour, non pas annonciateur d'un autre temps, mais invariable, fait des mêmes iniquités. Le jour ouvert, tout reprendra place, donc. Les pauvres avec les pauvres, les riches... Un jour de plus, oui, où l'homme continuera à remplir ses poubelles. S'étonnera, en écoutant d'une oreille les nouvelles, du fort taux de pauvreté dans le monde. Jour après jour, le même cirque.

J'ai beau jeu de faire mon numéro de *madame je sens tout* et de *mamie la morale*. Du toupet de critiquer les autres quand, dans ma vie, je n'ai pas su faire mieux, n'ai jamais pu me déprendre de certains tics : cette manière, malpropre, de rougir parce que je mange à ma faim, de refuser de photographier les pauvres, de faire de l'humanitaire par prélèvement automatique. Cette tendance à croire que le monde évolue, que le dialogue entre pauvres et riches a changé depuis l'ouverture des boutiques de commerce équitable.

Je m'arrête pour vomir un peu, m'essuie la bouche, de nouveau marche en direction de ces beaux quartiers où une chambre claire, une douche qui marche, un lit douillet m'espèrent, parce que j'ai payé. Mais quelque chose rampe derrière moi, d'humain et qui susurre missizmissizmissizmissizmissizmissizmissiz. Je me retourne et l'enfant-tronc m'affronte : brun de peau, plein de plaies sur le corps, un sourire mauvais et minuscule. Rivée à ma cheville, sa main moignon m'égratigne, menace de m'emmener au pays des cafards si je refuse de donner mon argent. Sénora, sénora… Le Sud parle au Nord, le pauvre se paie la tête du riche. Je m'excuse et m'explique :

— Pas d'argent. No. No. Ralouf. Choukrane. NO money du tout. Une autre pauvre, plus pauvre encore que vous, m'a pillée. Vous devez me croire, il le faut.

L'enfant-tronc grimace et je n'ai pas d'autre choix que de fuir, détaler comme un rat, revenir là où il fera toujours soleil, toujours riche, toujours blanc, où il fait bon demeurer parce que l'eau courante, la climatisation. Parce qu'en

1996 Madonna nue aurait fait plouf cinq secondes dans la piscine.

Les portes de l'hôtel coulissent et le rouge de la honte me vient, me monte aux joues tandis qu'assis dans le hall, un drink à la main, un Marocain me décoche un sourire entendu.

— La soirée a été belle ?

Évasive, je marmonne et presse le bouton de l'ascenseur. *Pourquoi les gens ne s'occupent-ils pas de leurs oignons ?*

— Au fait, je voulais vous dire que pour le tour en calèche...

Quel tour en calèche ? Est-ce que j'ai une tête à monter en calèche ?

— ... le grand tour de la ville, c'est vendredi...

Rien à cirer de cette ville où je n'ai jamais souhaité aller. Où mon mari m'a traînée de force. Que je me moque pas mal de visiter.

— ... et plus jeudi. Et le rendez-vous a été fixé à 18 heures. Dans le hall, comme d'habitude. Pour le règlement, c'est demain, avant midi. C'est payable en espèces uniquement et les banques ouvrent à 8 heures.

Qu'a-t-il à me dicter mon emploi du temps de la semaine ? Je ne sache pas qu'on ait élevé les porcs ensemble.

L'homme s'est tu, et je prie pour que l'ascenseur vienne me prendre, m'arracher de ce pays où il faut toujours payer. Comme si j'y pouvais quelque chose, moi, à leur misère.

Jacques dort à poings fermés lorsque je me glisse dans le lit. J'ai un peu froid, et, bien que lourd, le poids de sa main, instinctivement posée sur ma hanche, me rassure, m'habille d'une certaine respectabilité. Une femme mariée ne peut pas être fondamentalement égoïste.

*

Je n'ai pas vu s'annoncer le jour, et c'est encore tout abrutie que je me rends sur la terrasse. Lunettes au nez, bic en main, Jacques épluche une gazette. De l'avoir sous mon nez me le rend presque étranger. Mon mari fait neuf et m'intrigue. Je me prends à l'observer avec une soudaine objectivité. Contraction soudaine de la lèvre supérieure en découvrant, page 3, les cadavres d'une vingtaine de chiens suite à une battue. Inspiration, expiration puis expression de l'indignation grâce à l'utilisation abusive d'une onomatopée à la française. Léger haussement d'épaules avant un long soupir de satisfaction.

— Je me sens en pleine forme. J'ai dormi comme un bébé.

Se peut-il que Jacques ait oublié que les bébés dorment mal la nuit? La nuit, les bébés pleurent parce qu'ils flairent le danger. Ils sentent qu'on leur veut du mal, que ces bougres de parents, supposés dévoués, bénévoles, sont en vérité pleins de méchanceté. La nuit, les bébés se rebellent. C'est le jour qu'on peut les corrompre. Ainsi avons-nous toujours fait pour nos fils. Nous les avons mangés.

— Et toi? Ta nuit?

Je n'ai jamais été du matin. Parler ne m'est agréable qu'à partir de midi. C'est parisien, il paraît. C'est, pour moi, une coutume, aussi tenace que la manie qu'a Jacques de siffler sous la douche ou de glisser son portefeuille dans la poche arrière de ses pantalons. Contrainte de communiquer, je fais au mieux et résume. La folle les flics la route l'enfant la calèche l'hôtel le lit douillet la main. Cette main de mari qui continue, bien malgré moi, à vouloir mon bien, à devoir, à servir encore. Jacques a cessé de lire et, s'obstinant à se sentir concerné, élabore consciencieusement le programme : pas de mosquée ce matin, mais une visite en famille au poste de police.

— On ne sait jamais. Quelqu'un sait, quelqu'un a pu trouver quelque chose. Dans ces pays du Sud, les gens n'ont pas tout perdu. Ils ont su conserver des valeurs essentielles comme la solidarité, l'intégrité, le sens de l'hospitalité. Les gens d'ici respectent l'étranger.

Des cadavres de chiens pourrissent sur la table, qui me donnent brusquement envie de rigoler. Un vague sourire effleure mes lèvres tandis que l'œil sévère, adulte, de mon mari me rabroue.

— Je t'avais pourtant bien dit de ne pas sortir seule ! Tu n'en fais toujours qu'à ta tête.

J'avais oublié son nez. Ce nez qu'il se paie lorsqu'il est contrarié ! Un nez expressionniste, aux narines si volubiles qu'on les dirait prêtes à imploser.

— Ça ne m'amuse pas, tu sais. C'est pas l'Europe, ici. Sans papiers, on ne peut pas aller et venir comme on veut. Et puis de toutes les façons, va falloir régler cela vite ; on part dans trois jours. Quand j'y pense d'ailleurs, j'ai l'impression qu'on vient tout juste de débarquer. C'est effrayant comme ça passe vite, tu ne trouves pas ? Enfin, on en aura bien profité.

Second soupir de satisfaction, d'un volume sonore supérieur au premier, avec rapide coup d'œil sous la table pour vérification de je ne sais quel détail. Rot du matin *comme au pays*, assorti d'une légère caresse sur ma main à double usage : 1) me signifier qu'il m'a pardonné ; 2) me rappeler que je suis sa femme. Mon époux ne m'a pas touchée depuis hier matin.

Sa dignité en partie restaurée, Jacques s'inquiète de mon manque d'appétit. Pour me motiver, il crée le hit-parade des plats marocains les plus goûteux. Tajine citron > couscous royal > méchoui, etc. Rebelote car il a oublié les bricks, bien meilleurs, dans la pratique, qu'un tajine. À condition de ne pas abuser des épices et de déguster tiède. Et de conclure par une blague douteuse mais sans équivoque, l'histoire de Toto et du marchand de moules.

— Peut-être, mais je n'ai pas faim.

— Prends au moins un café.

— Je n'en bois plus.

— C'est nouveau, ça.

C'est vieux, très vieux même. Mais si tu savais comme aujourd'hui j'en ai assez de compter, comme les calendriers me font horreur, comme mes anniversaires me font pitié. Si tu savais mes peurs, mes incapacités, si seulement tu voulais bien m'écouter, Jacques.

— Que disais-tu, mon cœur ?

Rien. Il n'y a rien, dans mes mots, qui puisse s'inscrire dans ton programme, ce plan de fin de vie que tu as cru bon te fixer, qu'au fil des ans, patiemment, presque sournoisement, tu as échafaudé, à seule fin de t'en tirer. Où te figures-tu donc aller ? Combien de points vieillesse as-tu mis de côté ?

— Chérie ?

De nouveau, mon mari me presse la main.

— On va pouvoir y aller. Il ne pleut plus. Le soleil est revenu, on dirait.

Ici aussi, on dirait que l'été est entré. Du soleil, partout, et je ne reconnais plus rien. Ni la Seine, ni le ciel, ni cette porte d'ascenseur qui, d'ordinaire, grince, indiquant les va-et-vient et les humeurs des locataires. C'est vendredi. Mme Verdier, notre voisine d'immeuble, vide sa truite. La voilà, justement (à croire qu'elle nous surveillait), qui vient aux nouvelles et nous bombarde de questions sur le Maroc. Elle n'est jamais allée là-bas, mais connaît bien les Arabes, *comme quoi*. Elle aussi préfère les bricks, mais ne supporte pas cette espèce de pâte rouge qu'ils mettent dans tout. C'est une question de goût et, aussi, de santé... *Et sans la santé*... Au fait, tout s'est bien passé en notre absence. Il a fait beau tous les jours, Gustave a été sage, le ficus exoticus a tenu bon.

Couché dans ce qui, avec le temps, est devenu sa litière, Gustave ne paraît guère ému de nous retrouver. À peine nous lance-t-il un regard, occupé à contempler les ombres que fait le soleil sur le papier peint. Cadeau de Pierrick et originaire du Tibet, la bête ne s'est jamais résolue à faire le chat. Incorruptible, elle n'a jamais ronronné et passe le plus clair de son temps à observer les phénomènes para-normaux.

Ma valise ouverte sur le lit m'incommode. Je rêve de dormir, tomber avant que la migraine ne me gagne. Demeuré dans le hall d'entrée, Jacques s'inquiète et s'excuse : une semaine de thalassothérapie à Roscoff eût sans doute mieux convenu qu'un séjour au Maroc. Pressé de tout effacer, il secoue les tapis et ouvre grand les fenêtres. Remplit de gestes l'espace, me rappelle ces pièces de boulevard où mari, femme et amant s'agitent sans aucune efficacité. Cette valise sur le lit, pour de bon, m'insupporte. Je détourne le regard et joue à tout faire disparaître ; plus de voisine, plus de ciel, plus de chat, plus de Jacques. Plus Jacques. Mon mari est sorti ; vient de passer la porte, prend l'ascenseur, une rue.

Alors, alors seulement, je suis entrée dans ma maison. En ai inspecté les pièces, chaque pièce, tous les recoins. C'était comme si rien, comme si je n'y avais jamais vécu. Comme si je n'avais jamais habité nulle part.

Au bout d'un long couloir où des enfants avaient dû jouer au gendarme et au voleur, s'ouvraient deux chambres, deux carrés parfaits, révélant, dans leur irréductible silence, l'absence de passions. Seules quelques larges auréoles au plafond rompaient l'équilibre, signalaient la faillite, la dégradation de la matière, en dépit des efforts manifestes des habitants pour entretenir les lieux. Je frissonnai. Dans ces marques suspendues en l'air, il y avait la preuve que rien ne resterait. Qu'un beau jour, le temps déborderait, s'échapperait des réveils et des calendriers, pour n'en faire qu'à sa tête, aller là où il devait.

La salle à manger, en forme de L, hébergeait des souvenirs de vacances, acquis à bas prix et à la dernière minute. Ils avaient *fait* l'Égypte, la Corse, Venise, ceux qui dînaient là. Peut-être même, un jour, avaient-ils souhaité y vivre, avant de se rendre à la raison et de rentrer à Paris, là où il n'y aurait aucun risque d'attraper des merdes et de se prendre des bombes. C'était il y a longtemps, bien avant les grossesses et les gaines, longtemps avant ces robes dont il avait fallu défaire les pinces, reprendre la taille, parce que la femme qui les portait ne s'était jamais résolue à s'en séparer. Au début, l'homme et la femme en avaient ri, puis ils s'étaient tus, feignant de ne pas déceler la métamorphose. Quand l'avaient-ils constatée pour la première fois ? À quel moment avaient-ils accepté de baisser les bras ? Là, sans doute : sur cette photographie, au cadre trop précieux, où une femme, volontaire et plus tout à fait jeune, se tient sans ciller près de son mari.

Et puis la Vogica, la salle de bains en teck, la chambre des « voyageurs ». Un étroit bureau qui, avant de sentir l'encre, avait dû puer le tabac, le linge qui sèche et la litière d'un chat. La chambre des parents, enfin, qui, plus que toute autre pièce, disait la mécanique du couple, tous les dispositifs mis en place pour l'entretenir, ou alors l'éprouver. Autour du lit, et comme pour mieux asseoir sa fonction, des tentures suggéraient des passions. On y voyait des ventres et des sexes. On devinait les gestes dont s'étaient laborieusement inspirés les amants.

Alors. Alors, la nausée, ma honte. Comment avais-je fait pour tenir ? Pendant combien d'années avais-je déposé ici ma jeunesse ? Sans pudeur ni garantie, sans cette vigilance propre aux ménagères qui consiste à toujours mettre de côté, à ne pas placer ses œufs dans le même panier. Mais peut-être n'était-il pas trop tard. Sans doute pouvais-je encore me ressaisir.

Ma valise rangée, j'ai passé ma plus belle robe et chaussé des souliers de fille. Aujourd'hui serait jour de joie, une journée de rattrapage où je m'occuperais enfin de moi. En bas de l'immeuble, sous le nez de la concierge qui nettoyait les poubelles, j'ai pris mes grands airs et hélé un taxi. Elle a rougi en me regardant faire, et, le souffle court, a attendu que je monte dans la voiture pour reprendre sa tâche. J'ai aimé cela ; qu'une femme aussi concrète qu'elle se prenne à rêver en me voyant. Une heure plus tard, affublée d'une blouse chocolat et sublimée par l'éclairage d'un spot, je confiai ma tête à Gladys, une coiffeuse-épileuse-etc., avec un chewing-gum cannelle en bouche et cette capacité à ne s'exprimer que par onomatopées. Sous son contrôle, et au rythme de ses mastications, j'incline la tête cent fois, d'impatience soupire tandis qu'une sale odeur de spray me monte au nez. *Souffrir pour être belle*, commente une cliente, jeune, jolie, et tout ce que je déteste. Gladys opine du chef avant de dégainer sa paire de ciseaux. C'est une première. C'est la première fois qu'on me coupe les cheveux. Considérant que la chevelure, c'est toute une vie, toute une femme, je n'avais jamais osé y toucher.

— Hi.

Dans l'espéranto de Gladys, *hi* équivaut à *fin*, *basta*, *oust* ! Sa mission est accomplie, me signifie-t-elle en me conduisant jusqu'au grand miroir.

Alors ? Alors rien. Je n'ai pas changé. Malgré la frange maison, les mèches Carla à 15 euros pièce et l'effet *négligé* promis. Donc ? Donc c'est une question de temps. Dès demain, je serai différente. La greffe va prendre. Je vais être belle puisque j'ai souffert. Seule devant la glace (Gladys s'est éclipsée), je poursuis ce tête-à-tête passionnant avec mon surmoi.

Lui : Que cherches-tu à prouver ?

Moi : *moue assortie d'un mouvement disgracieux des lèvres et du cou.*

Lui : Tu ferais bien mieux de rentrer chez toi au lieu de te tourner en ridicule.

Ma gorge se serre, je vais craquer. Craque effectivement et pleure comme une madeleine. Une voix me questionne et je bégaie, aligne toute une série de non, des *nan* ni oui ni non, comme quand j'étais petite et que je craignais de déplaire à ma mère. Reprenant le contrôle de la situation, Gladys me prie, après m'avoir ôté ma blouse (à bien y repenser, elle l'arracha presque ma blouse), de passer à la caisse. «Maintenant, il faut payer», ajoute-t-elle, m'informant, au cas où je n'aurais pas mes verres de correction, que la maison ne prend plus les chèques.

De même qu'il y a des jours où l'on se sent d'humeur à aimer son prochain, il est des moments où on le hait. Où on le dégommerait bien, pour être honnête, s'il n'y avait pas, quelque part, une morale, quelque chose ou quelqu'un qui, juste à cet instant-là, choisit de se mettre en travers de votre route.

Alors que je m'apprêtais à me ruer sur Gladys, une inconnue me tend la main.

— Vous vous souvenez de moi? J'ai fait un stage au journal où vous étiez, il y a une bonne quinzaine d'années. Marie, je m'appelle, Marie Thévenin. Je suis agréablement surprise de vous rencontrer. Je vous croyais…

— Morte? Eh bien non, désolée, comme vous voyez: je suis là. Je viens même de m'offrir une nouvelle tête. Mais excusez-moi, je suis pressée.

J'ai dû faire ma crâneuse. Passer négligemment une main dans mes cheveux avant de régler. Et puis j'ai marché, des heures sans doute, veillant à ne croiser aucun regard; j'étais sûre que le monde entier avait les yeux braqués sur moi. Ce soir-là, Jacques ne fit aucun commentaire. Se payait-il ma tête ou n'avait-il rien remarqué ?

Au matin, en me dévisageant dans la glace, je décidai d'être plus radicale. Tout doit disparaître, couper tout, mèche par mèche, jusqu'à ce qu'il ne reste qu'un duvet sous la main, une sensation de vide et d'irrémédiable. Ma tâche achevée, j'ai vidé la poubelle et pleuré à chaudes larmes sur ce qui avait fait mon succès. Mes cheveux et mes mains, c'est ce qui retenait l'attention des hommes, jadis, et m'a valu de temps en temps quelques jolis compliments. Une fois, j'ai même eu droit à une déclaration. Ce n'était pas un plaisantin, ni un orgueilleux, quelqu'un de loyal qui aurait pu me plaire, à force.

Au fond, je n'ai jamais compris ces femmes qui, espérant vivre le grand amour, s'éprennent d'artistes et d'intellectuels. J'ai côtoyé ces hommes, ces types ne valent rien. Vous serinent avec leur œuvre, leur inspiration, leurs tourments, comme si l'évolution de l'espèce humaine en dépendait. Comme si de le croire les dispensait de vous donner du plaisir et de vous témoigner du respect.

De nouveau, je me suis approchée du reflet pour les inspecter. Ces taches suspectes sur la peau, ces poils en trop, ces lèvres sans chair. Et aussi là, partout, la certitude d'avoir basculé définitivement de l'autre côté, là où plus personne ne viendrait me chercher pour me conduire dans une chambre d'hôtel, commander un champagne, tandis que je me déshabille, bonne à tout, à croire à ces légendes fabriquées sur mesure dont on se sert tous pour se faire aimer. Mon regard a dérapé et j'ai pleuré de plus belle. Qui d'autre que mon mari se risquerait à goûter ce sexe de mère plein de fois grand-mère ? Ce bout de terre molle, moite, incertaine, où plus rien de beau, jamais, ne repousserait ? Gagner du temps, c'est ce que nous avions appris à faire. Le dompter afin qu'il ne nous coure pas après. Ainsi avaient vécu les femmes de ma condition. Ainsi avais-je marché, au pas de course, au gré d'un temps illusoirement moderne. Progresser, s'émanciper, puis, un beau jour, avoir l'étrange sensation de perdre pied, de ne plus être dans le coup, de ne plus rien comprendre. Devoir admettre, alors, qu'on s'est trompé de lutte, que le pire reste à venir, en soi.

J'ai retiré ma robe de chambre et je me suis glissée dans la baignoire. L'eau était chaude, et à son contact j'éprouvai un doux engourdissement. Il me semblait entendre rouler la mer, et sur la grève tachetée d'oiseaux se balançaient des eucalyptus, si souples, mais si entêtés dans leur verticalité que j'inclinai la tête en arrière et fermai les yeux. J'étais calme, bercée par cette voix qu'on a tous en soi et qui nous pousse à agir sans mobile, à l'instinct. Cette petite voix d'intérieur, bien plus puissante que la liberté individuelle, et que les parents, les maris, les collègues, les amis, passent leur temps à étouffer.

Dans l'eau du bain où commençait à se former une nappe de crasse, j'ai alors cessé de respirer. Autant que j'ai pu, j'ai tenu, jusqu'à perdre de vue les arbres, les oiseaux, le rivage. Jusqu'à n'être plus qu'une barre de ciel bleu.

Le bruit viril d'une benne à ordures brisa le silence. Paris s'éveillait, la vie dehors reprenait sans se douter que, entre les murs, de l'eau coulait. J'ai repris mon souffle et, j'ai enveloppé mon corps fripé dans une serviette de bain.

*

— À vos quarante ans de mariage !

Je manque recracher une gorgée de mousseux, tente un sourire que j'offre à Jacques avant qu'il ne retombe et ne se métamorphose en grimace.

— Ben tu en fais une tête !

Cernée (une galerie de portraits vivants me scrutent), j'improvise et prétexte de sévères maux de ventre depuis notre retour du Maroc. Se remémorant son dernier séjour au Népal (hiver 85, si ma mémoire est bonne), Laurence se lance aussitôt dans un cours d'instruction sanitaire. Pragmatique, elle abrège pour revenir à la question du jour : *Sommes-nous enfin heureux ?*

Au Carrefour d'Alger où, chaque dernier dimanche du mois, des amis, Jacques et moi avons coutume de nous réunir, nous sommes en ce jour dix à participer au débat. Seize, si je compte les alités et les morts.

Paul, dit Paulo. Soixante-neuf ans et trois mois. Feu cadre. Ex-vieux beau. Activité sexuelle réduite depuis son opération de la prostate : « Je refuse de croire que les personnes âgées sont les handicapés de la société. C'est grâce à nous, aujourd'hui, que le commerce marche. On constitue un sérieux cœur de cible. »

Laurence — âge non communiqué depuis longtemps. Divorcée. Prétend mieux faire l'amour depuis. Passe le plus clair de son temps à ne s'occuper que d'elle : « Je n'ai jamais autant créé que ces cinq dernières années. »

Yvonne — a incinéré son mari l'an dernier : « Il disait toujours que c'était l'âge de la renaissance. »

Jacques approuve et arbore, en guise d'illustration, le nouveau débardeur que je lui ai tricoté. Et tous en chœur de s'écrier : « Mon Dieu, Louise, c'est merveilleux ! Ce bleu canard avec ce jaune, c'est tout bonnement ravissant ! »

Aux regards exaltés braqués sur moi, je comprends qu'il me faut simuler. Observer le consensus. Endosser mon rôle de vieille, pro du tricot, de la marche, du Scrabble depuis qu'elle a atteint le point de non-retour, l'âge ingrat de ceux dont on n'exige plus la carte vermeil, que l'on croit sur parole et classe au faciès, l'âge bâtard de ceux qui ne vieilliront plus puisqu'ils mourront bientôt.

La mort recule, chantent nos démographes. Et que fait-on de ceux qui sont en salle d'attente? Ont passé l'ère du papy-blues, de la ménopause, de la chirurgie esthétique à peine réparatrice?

Choquées par mon silence, les consciences s'interrogent. Les regards se précisent, vont de Jacques à moi, moi à Jacques, Jacques... S'efforcent de réveiller en moi la bonne maman, ce prototype de vieille fabriqué par nos sociétés, toute prête à chausser ses lunettes de bigote pour nous délivrer les grands mystères du monde: comment chasser les fourmis d'une cuisine, réussir sa Béchamel, recycler ses brosses à dents usagées. Bonne élève, je m'apprête à réciter ma leçon lorsque ma langue fourche.

— Je hais les vieux.

Une chaise grince, des gorges grondent. Je m'excuse.

— Je ne voulais pas être désagréable.

— Ne faites pas attention, Louise n'est pas dans son état normal.

— Tu te trompes, Jacques. Je ne me suis jamais sentie aussi bien qu'aujourd'hui, aussi lucide sur ce que nous sommes devenus. *Sommes-nous enfin heureux?* Que vous figurez-vous donc? Regardez-vous bien. Avez-vous vu de quoi vous avez l'air? Bande d'inutiles, va! Des petits vieux qui ne ressemblent plus à rien, passent leur temps à radoter, à raconter leurs riquiqui de vies comme si le sort de ceux

qui allaient crever pouvait encore intéresser quelqu'un?
Vous me dégoûtez, tiens! Vous êtes des monstres!

Quelqu'un s'est levé (Paul, Jacques peut-être) et s'est
approché de moi. S'est arrêté parce que je me suis mise à
hurler et à brandir le couteau à fromage. On a dit que je
déchirais l'air avec.

Demeuré seul à mes côtés, Jacques m'observe et passe une
main sur mon front comme pour mieux s'assurer qu'il brûle.
38°; rien d'anormal.

— On s'est toujours tout dit. Ce n'est pas à notre âge
qu'on va se faire des cachotteries. Louise, tu m'entends?

J'entends mais sèche. Plus les mots, je n'ai pas les mots
pour formuler la bonne réponse.

— Nous avons eu très peur. Tu étais si... Se mettre dans
un état pareil, ça ne te ressemble vraiment pas. Tiens, bois.

— Je n'ai pas soif.

— Juste une gorgée.

D'une main, je balaie la coupe.

— J'ai fait quelque chose qui n'allait pas, ma chérie?

La main de Jacques dans mes cheveux m'est odieuse. Je
préférerais qu'il me frappe et m'oblige à recopier cent fois :
*Promets d'être une bonne fille. Je promets d'être une bonne
fille. Je promets.* Qu'il admette qu'il s'est toujours trompé sur
mon compte, que, des Louise qu'il s'est forgées et se figure
connaître par cœur, il n'en est pas une seule qui me
ressemble. Je vais pour le lui avouer, mais la peur me reprend.
En bon mari, Jacques saura se défendre, préférera fuir plutôt
que d'affronter la vérité. Depuis le lit que je garde comme
une malade, j'entends les pas de mon mari sur le parquet. Il
a mis ses chaussons, ses lunettes, un bas de pyjama. S'en-

fonce dans le sofa, une main disponible, mais vaine ; Gustave se refusera à toute caresse. Jusqu'à ce que le journal télévisé ne commence, mon mari se consacre à ses Sudoku. Appliqué, a froncé ses sourcils, se félicitera bientôt d'en être venu à bout. Ainsi fait-il pour se vider la tête. Un générique d'émission, suivi d'une voix fluette, s'élève. Ce soir, la télévision publique s'intéresse au sort des immigrés clandestins. Un reporter avec un nom en o a enquêté pendant six semaines à Melilla. Rendez-vous après le journal, en direct, toute cette semaine, des jeux Olympiques.

La porte de la chambre s'est ouverte. Un plateau-repas entre les mains, mon mari s'excuse de venir troubler mon sommeil. Mais il faut manger, me susurre-t-il, tout en portant à mes lèvres une cuillerée de bouillie jaune.

— C'est bon ?

— Trop chaud.

— C'est bon pour ce que tu as.

Et puis, nous nous taisons, complices silencieux d'un système qui, permettant aux hommes d'être mariés pour le pire, nous autorise, mon mari et moi, à supporter cet infect servage.

— À la télé, tout à l'heure, il y a une émission sur l'immigration clandestine, ça se passe au Maroc, j'ai pensé que ça pouvait t'intéresser. Tu sais, c'est à…

Jacques s'interrompt, à moins que ce ne soit moi qui, ne percevant plus ses phrases, me contente d'ingérer mon potage. Jusqu'au bout, parce qu'il ne faut pas gaspiller, qu'à Melilla, Bamako ou Port-au-Prince, il y a des enfants qui meurent de faim, des hommes qui, pour les nourrir, escaladent des barrières et jouent à saute-mouton avec les frontières.

— Je n'ai pas le cœur à regarder ça.

Jacques hoche la tête et, se retirant sur la pointe des pieds, me laisse seule avec ma mauvaise foi. Les heures s'écoulent, et ma colère contre lui s'efface. C'est après moi que j'en ai à présent. Dans cette affaire, j'ai mes torts. Et il faudra bien que je m'en explique.

*

L'autre jour, dans la médina de Fez, Jacques n'a pas dit la vérité. Ce n'est pas au cinéma que nous nous sommes rencontrés, mais dans une clinique alors que je venais de commettre ma seconde tentative de suicide. Je parle de suicide, mais, à l'époque, les médecins disaient autrement, pensaient qu'il ne s'agissait là que d'un passage à vide, un accident de vie ordinaire chez une patiente née en 1940, faite femme en 68 et qui, pour être libre tout à fait, avait dû rejeter le modèle des aînées, mettre en pièces le grand patron. Dans ma chambre, je me rappelle les tableaux sur les murs, des visages et des fleurs, la fin d'un pré, des v dans le ciel, et qui semblaient être des aigles. Les draps sentaient la mer, cette odeur de marée qu'on trouve dans certains détergents. C'est Jacques qui m'en avait fait la remarque, sans doute parce que nous n'avions pas grand-chose à partager, et que, dans cette clinique privée où il avait espéré écouler ses poudres à récurer, j'avais été la seule à faire semblant de m'intéresser. Debout devant la machine à café, je l'écoutais déballer ses histoires.

Je le voyais s'affairer, surveiller l'heure, tourner la tête en direction des bureaux, là où une employée aux pommettes qui montent lui promettait tous les jours de l'introduire. Je l'ai vu, Jacques, se ronger les ongles jusqu'au sang, tenir, malgré cette honte qui peu à peu le gagnait, et qui finit par me toucher.

Puis, on le fit appeler. Un matin, la secrétaire lui signifia que sa présence sur les lieux n'était plus souhaitée. La clinique n'avait pas besoin de détergents aromatisés à l'eau de mer, ni de téléphone-fax, ni de photocopieuses de poche, encore moins de ces charlatans, toujours prêts à s'enrichir sur le dos des autres, y compris des malades. Son laïus clos, elle le pria de remballer son matériel et de quitter l'établissement sur-le-champ. C'était mon jour de sortie, j'ai suivi Jacques dans l'escalier et, mon estomac lavé, lui ai demandé de m'embrasser.

À trente ans, les hommes ne s'encombrent pas de manières, s'emballent pour un rien et aiment n'importe qui. C'est ce qu'il a fait Jacques, c'est, du moins, ce que je l'ai autorisé à faire, sans gloire ni déplaisir, avec cette vague conscience des sexes des femmes mariées. En réfléchissant bien, je ne crois pas, jamais, l'avoir estimé. N'ai conservé, de nos années de jeune ménage, aucune image forte, aucun de ces souvenirs dont se repaissent les couples pour durer.

C'est après ma première grossesse que l'ennui s'est installé et que je me suis mise à chercher du travail. À l'époque, j'étais capable et je trouvai rapidement une place de correctrice dans une maison d'édition de livres pour enfants. Je n'y restai pas et intégrai quelques mois plus tard un magazine féminin. Un rire cynique me prend lorsque je songe à cette époque, où je célébrais la femme et militais pour son émancipation. Des années à défendre ses droits, écrire sur sa condition, organiser au pied levé des réunions extraordinaires où, disant haut ce à quoi je n'avais même jamais songé tout bas, je passais pour ce que je n'étais pas, pour ce que, d'ailleurs, aucune d'entre nous ne deviendrait. Était-ce moi ou une autre, qui, dépêchée par le magazine au Burkina Faso, avait réalisé ce reportage *stupéfiant* où, photos chocs à l'appui, je dénonçai l'excision et en appelai à la justice internationale et à la sensibilité des lectrices ? Qu'espérais-je déclencher, moi, dont le sexe ne s'était jamais affirmé ?

Il s'agit bien de moi. Et je me revois, attablée, avec sérieux, à mon bureau, la peau tannée, le regard hébété de qui rentre d'un long voyage, et a vu. À mes consœurs, je raconte avec volubilité ce que j'ai découvert là-bas, dans ce pays où la liberté sexuelle n'existe pas. Où le ventre des femmes est cousu. Où le droit des sexes à disposer d'eux-mêmes est bafoué, jugulé, piétiné. Je déblatère, oui, pour continuer à nourrir le mythe, nous conforter dans l'idée que nous avons fait du chemin, nous femmes d'Occident. Je pèse mes mots parce qu'il y a là des esprits qui s'en imprè-gnent, font des rêves d'Afrique tandis que mes ektas circulent de main en main, rêvent d'une Afrique à poil saignée au couteau. Les soupirs fusent, les *si*. Organiser un sit-in devant l'ambassade du Burkina, rallier à notre cause Giroud ou de Beauvoir, boycotter tous les produits en provenance de l'Afrique de l'Ouest. Nous, femmes d'Occident, n'avons pas froid aux yeux et de leçons à recevoir de personne. Cette séance d'auto-réjouissance collective achevée, je m'attelle à la rédaction de mon article en m'appliquant à forcer le trait. Ainsi débute la tragédie de Soxna Ba, fillette de neuf ans, excisée par sa propre tante et décédée le jour même ; le couteau servant à l'opération n'avait pas été stérilisé. Déversant sur le papier mes milliers de signes, je m'efforce d'oublier ce sexe qui grouille en moi. Ne rien dire de mes frustrations, faire taire ces bouches qui ont soif !

La nuit est tombée lorsque je quitte le magazine et me rappelle soudain ma maison désertée. Mon mari est en province, les enfants dorment chez une belle-sœur, je suis libre, ce soir, et téléphone à Laurence pour le lui signifier. C'est ainsi que je me retrouve à Vincennes, dans l'une de ces soirées supposées contenir trois célébrités au mètre carré, des stars d'une durée de vie limitée mais qui, toutes, se figurent éternelles. Hypnotisées par leur propre reflet dans la glace (quelques miroirs ornent les murs de l'appartement de mes hôtes), la plupart sont immobiles, attendant d'être regardées pour s'animer un peu. En voilà une, justement, qui nous sourit parce que Laurence vient de lui faire signe, qui se rapprochant de nous, se dandine, les fesses moulées dans une jupe de trois centimètres, autrement dit : rien du tout.

— Enfin, Louise, tu ne peux pas ne pas la connaître ! Tout le monde connaît Élisabeth Magloire.

Désolée, mais je ne la connais guère. Pas plus que Zaza de Marseille, Sylvianne Magloire Sœur, le sosie de Joan Baez ou ce mannequin qui a promis, dès demain, d'enlever le bas. Jamais vu, non plus, cette fille, peinte en bleu blanc rouge, qui, pour célébrer son nouveau nez, se fait appeler Cleopatra Jones.

C'est d'ailleurs elle, qui, se déhanchant sans pudeur, avait montré aux autres la voie, faisant, de ce samedi soir ordinaire, une nuit qui, pendant des années, entretiendrait le malentendu. Me garantirait que je vais bien. Que mon ventre n'est pas cousu. Que mon corps n'est pas aux autres. Mais était-il mien, lorsque pris en main par notre hôte, un certain Nick Farragh, Noir américain et producteur de films, il s'était montré consentant? Enivrée par les riffs des guitares et les effluves de marijuana, je m'étais laissé faire, oui, livrant mes seins, mes cuisses, ma nuque à la bouche mâle, maîtresse, imitant à merveille les gestes qu'une telle situation, en principe, requérait. Ce n'était alors point l'orgueil de plaire à un homme qui me motivait, mais le sentiment d'être de nouveau dans la peau d'une femme d'aujourd'hui, d'une Française assez décontractée pour considérer que tout était possible, que faire le sexe avec un étranger n'était pas un problème. Nous ne sommes pas allés jusque-là. Je n'ai pas pu. Tandis que sur le balcon, dans les fauteuils, sous les tables s'organisait la grande orgie, que, sollicité par les sœurs Magloire, Farragh leur proposait de nous rejoindre, je quittai précipitamment la soirée. À l'époque, Jacques et moi ne vivions pas encore dans cet appartement-là. Nous occupions un petit pavillon, le genre de logis qui respire le bon ordre, où l'on se sent coupable quand on a fauté. Un foyer qui vous tient en laisse.

J'avais cessé de m'en vouloir lorsque, une semaine plus tard, Jacques est rentré. J'étais fière de moi; tout brillait dans la maison, au point que, contenté, moins fruste que d'ordinaire, mon mari, la lumière de notre chambre éteinte, s'était montré inventif.

*

Il pleut. Les essuie-glaces s'ouvrent comme les jambes des danseuses. Près de Jacques au volant et qui ne dit mot, je chante, la bouche pleine de ce mauvais vin qui me monte à la tête. C'est dimanche, Honfleur pue la galette. C'est tout Jacques de vouloir quitter Paris un 15 août. Nous n'insisterons pas; l'art est mort, les galeristes, tous des voleurs, et prenons la route en direction des Demoiselles. C'est ainsi que les garçons ont baptisé cette maison dont nous avons hérité. Depuis l'église du village, nous la voyons se dresser, se découper dans le ciel blanc d'éclairs. Des hommes y ont duré, des hommes y sont morts assurément. On a veillé des corps des nuits, avant de les descendre au cimetière. La famille, dans toute sa pesanteur, soumise au régime des naissances et des deuils.

L'ivresse retombée, je précède mon époux et m'empresse de passer la porte. C'est de l'enfance que me vient cette coutume d'entrer dans une maison la première. Tirés de leur torpeur, les objets brusquement se souviennent et, reprenant leur esprit, servent aux hommes.

L'escalier grince, un feu s'allume, la vaisselle sort des placards. Puis j'ouvre les volets, malgré le vent, l'humidité et le gros œuvre d'araignées grosses comme des mygales.

Il fait soleil à présent. Jacques est au bois et je garde la chambre. De mon fauteuil en cuir qui craque, j'épie les va-et-vient d'un oiseau. C'est une femelle occupée à faire son nid, attentive aux chats errants et au jour qui baisse. Son manège se poursuivra les jours suivants, jusqu'à ce que la vie prenne, dans un cri encore incertain.

Une semaine s'est écoulée, et une odeur de jambon fumé s'est répandue dans les pièces. Dans le salon, où une table pour trois attend qu'on la débarrasse, la voix de Laurence prend toute la place. Mon amie parle fort, et bien qu'elle ne fasse que *passer*. En week-end dans la région, elle prétend s'être soudain rappelé l'église, le toit, la route qui mène aux Demoiselles. Elle ment, mais c'est égal. Que m'importe qu'elle veuille savoir si je suis malade, triste ou folle, qu'à l'instant même où je la regarde, elle cherche la faille, les signes avant-coureurs de la dépression. Je ne lui accorderai pas cette faveur ; je sais me tenir, j'ai reçu une solide éducation. Je tiens, donc, quoi qu'il m'en coûte et attendrai son départ pour déverser ma nausée.

Convaincu que les femmes sont les meilleures amies des femmes, Jacques prétexte un match de football pour se retirer et nous laisser, *entre nous*. La porte refermée, la comédie de l'amitié peut enfin s'installer. Qui apprécie les peintres de la Renaissance connaît cette scène par cœur. Assises côte à côte, en intérieur ou dans un pré, deux jeunes filles, fraîchement pubères, se délivrent des secrets. L'instant est sacré, leur foi sans bornes. Car il s'agit de ne pas douter, d'aimer inconditionnellement. L'art se tait car les jeunes filles grandissent. Elles sont grandes, puis trop grandes. Elles sont aux hommes à présent et leurs aveux sont devenus des potins. Une main sur ma cuisse, Laurence m'observe avec tendresse. Elle connaît sa bête et ne se risquerait pas à me brusquer. Pensant pouvoir m'abuser, elle me fait des confidences et déploie une énergie formidable pour m'amadouer. Du grand art, quelle santé ! Elle mériterait que je craque en direct, et lui soutire les coordonnées de son psychiatre. Tout ce que je lui demande, moi, c'est de m'emmener à la plage. Je veux voir la mer. J'ai oublié à quoi elle ressemblait.

En bonnes filles, nous rassemblons nos effets que nous jetons hâtivement dans le coffre. Puis nous démarrons, sans Jacques, sans âge, vides, nous abandonnant au vent des routes. Afin de le mieux sentir, j'ai baissé la vitre et ma tête, sacrifiée à Éole, me procure un plaisir intense, la sensation d'accomplir là l'impossible vœu des hommes. Je vole, et Les Demoiselles ne sont plus qu'un point sur une carte, mon existence, une série d'événements fortuits. Laurence accélère et je pleure la joie.

Après le parking de la plage, s'ouvre le sentier, terre de ronces et d'épines qu'il nous faut traverser avec précaution. Gamine, j'allais sur ces chemins au pas de course sans souci des morsures, de cette aiguille chauffée à blanc que ma mère, par un abus de confiance légitime, m'enfoncerait la nuit tombée dans la plante des pieds. Plus tard, je deviendrai farouche, ne l'autoriserai plus à surveiller le sang, à *faire la mère*, garder sa petite femme en cage pour mieux lui trans-mettre ses peurs et ses indignités. Fille aînée, j'ai hérité de toute cette merde. Maman m'a tout donné et tout est resté. S'il faut qu'une génération crève pour engendrer la nouvelle Ève, je regrette, mais ce sera sans moi. Chaque chose en son temps, chacun sa pierre; j'ai déjà donné.

Une haie d'amandiers sauvages annonce l'entrée de la plage. Un vent léger nous accueille, annonciateur d'une mer parfaite. Le sable est feu. Nous marchons sus, dans les pas d'oiseaux en route pour le grand voyage. Plus perspi-caces que les hommes, ceux-là savent partir à temps. Étendue sur une natte, encore tout habillée, je regarde brûler le soleil, le vois peindre en rouge la plage, les arbres, Laurence, à l'eau, et qui me conseille d'en faire autant.

Le paysage a changé lorsque je me réveille. Partout, des corps ont poussé, des vacanciers qui, las des conseils du Petit Futé, ont accepté de s'en remettre au hasard. Profitant de leurs dernières heures, ils se répandent sur le sable, tapissent l'espace, rompent le silence, parlant, beaucoup et fort, comme s'ils étaient seuls au monde. Comme si le simple fait d'être valides, heureux et en congé dispensait de réfléchir. Unis par cette humanité de magazine, hommes et femmes s'essaient à paraître beaux. Se tartinent, s'exposent pour tuer le temps.

Une balle vient d'échouer à mes pieds. Son propriétaire, un baigneur de quatre ans, me jette un regard larmoyant. L'usage voudrait que j'intervienne et qu'avec un sourire *grand maternel*, je restitue à l'enfant-roi son bien. Qu'après l'avoir mouché, câliné, changé, je me mette en quête de ses géniteurs, inquiets, et bien qu'avachis sur le sable. Le soleil tape et je ne suis pas baby-sitter. M'étant donc assurée que personne ne me voyait, je tourne le dos à l'enfant et lance la balle le plus loin possible de mon territoire. La peste pleure de plus belle et, il fallait s'y attendre, s'attire la compassion d'une bande de samaritaines désœuvrées. S'ensuit un tohu-bohu de tous les diables où c'est à qui retrouvera le *joujou* et saura faire renaître sur les lèvres de l'enfant une *risette*. Avec autant de passion que les chevaliers du Graal, les voilà donc qui partent en quête de la balle, remuent sable et ciel, voleraient presque la vedette à la mer avec leur bonne volonté criarde et abjecte. Alertés, les parents fondent sur leur progéniture. L'un gronde, l'autre dorlote, les deux s'affrontent et se reprochent, rétrospectivement, d'être ce qu'ils sont. «Je l'ai!» s'exclame brusquement une mère en sortant la tête d'un buisson. La peau égratignée, mais le poing levé en signe de victoire, elle s'empresse de rejoindre l'enfant pour déposer à ses pieds sa trouvaille : une balle plantée d'épines et crevée. Le petit garçon hurle de douleur ; il veut mourir, et la fessée que lui administre son père ne fait qu'accroître son penchant suicidaire. Négligeant leur instinct, et venues là pour bronzer en paix, des mères crient après l'enfant, fulminent contre tous ces gosses, bons à rien et mal élevés, que les parents feraient bien mieux de corriger s'ils ne veulent pas, un jour... Le ton monte jusqu'à ce que la petite famille plie bagage.

— Tu as tort, tu sais, l'eau est vraiment délicieuse. Et puis à cette heure, c'est le meilleur moment de la journée pour se baigner.

Un miniparéo autour de la taille, Laurence contemple ses cuisses.

— Une semaine de thalasso, et voilà le travail ! se réjouit-elle en rentrant le ventre. Tu ne trouves pas que j'ai perdu ? *Et parce qu'à notre âge, maigrir ne se dit plus.* En tous les cas, je ne sais pas pour toi, mais, moi, je me sens en pleine forme.

Un ange passe ; j'ai dû fermer les yeux, les rouvre sur Laurence, étendue sur le dos, ses seins, mille fois refaits, et qui ne renonceront pas. Aucun poil ne déborde du slip bikini. Épilé tous les mois, le sexe a la forme d'un rectangle. Sur la peau crémée, hâlée, même en hiver, il semble que l'amour continue de passer. Une bouche s'est attardée, là, tout près du nombril, à l'endroit même où une sirène, provisoirement tatouée, se délecte dans un centimètre carré d'eau bleue. Laurence s'étire et, dans cette volupté qu'elle a faite sienne, et qui, avec le temps, lui est devenue obligée, défait les ficelles de son slip. Couvertes d'une fine pellicule de sable, ses fesses s'offrent tout entières au soleil.

— J'ai croisé Jean-Marc, la semaine dernière. Nous avons pris un verre. C'est incroyable, il n'a pas changé.

Que suis-je supposée dire ? Quelle réaction dois-je adopter afin que, certaine d'être comprise, rassurée sur l'image que j'ai d'elle, Laurence m'épargne les détails et n'éprouve pas le besoin de me convaincre de quoi que ce soit.

— Si tu savais ! Je n'exagère pas. Le même qu'avant.

Je devine, et, pour le signifier, émets un léger gloussement. Glousse comme une poule en présence d'une autre poule, habituée à entendre des histoires de poules.

S'étirant pour de bon, Laurence s'applique à changer de côté et, d'un geste machinal, se lisse longuement les poils du pubis. Son impudeur me trouble, sa nudité me gêne. Un comble, sans doute, pour quelqu'un qui a toujours pensé qu'une femme devait assumer son corps, ses kilos en trop et ses rides en plus.

Il se fait tard, je suis exténuée et notre retour au parking s'accomplit en silence. Une pensée pour ma mère en m'engageant dans le sentier, et je frissonne. Son cadavre sera-t-il assez lourd pour se glisser entre la mort et moi?

Dans l'immense solitude où cette rêverie me plonge, l'insouciance de Laurence brusquement me glace, me révèle notre très artificielle connivence. Que partageons-nous sinon de vieux souvenirs de guerre, un ramassis d'idées toutes faites et des numéros de téléphone incomplets sur un calepin? Mortes, qu'aurons-nous su l'une de l'autre?

Un cortège de voitures blanches nous double en klaxonnant. On fête, ce soir, à Honfleur. Le boucher donne sa fille. Derrière la vitre, à présent remontée, je vois dépasser les jupons d'une robe. «Vive la mariée!» crie-t-on de tous côtés tandis que l'époux nain, il n'a pas dix-huit ans, s'enivre de whisky en compagnie de son beau-père. Puis c'est le bal. Les filles à marier dans un coin, les mères derrière. Sous la houlette d'un disc-jockey, moins cher qu'un orchestre, des couples s'aventurent, dansent twist, rock et mambo, avec une énergie et une incompétence égales. On applaudit la cathédrale de salamis, on salive devant les pains surprises, puis, se remémorant soudain les mariés, on réclame leur présence sur la piste. Tenant à peine sur ses deux jambes, le gendre du boucher enlace sa femme. Valse sans temps, à en donner des haut-le-cœur et des migraines. La petite manque tomber ; qu'on l'emmène prendre le frais !, ordonne la belle-mère. Rapatriée sur la terrasse, l'ex-fille du boucher vient de rendre toute la cochonnaille sur ses chaussures. Confuse, elle s'en excuse auprès d'une cousine puis lui *fait voir* son alliance. Les cloches de l'église sonnent. La petite a tourné la tête. Notre voiture passe, mais elle ne verra rien : seule sa propre jeunesse lui est familière.

*

La chambre d'amis est vide, Laurence s'en est allée aux aurores. En refermant la porte du jardin, a laissé s'installer l'automne. L'herbe est jaune, les arbres ont perdu leurs feuilles, mais quelque chose frémit là-haut, entre les branches. Je l'avais oublié et je bondis au pied du chêne pour vérifier sa présence. Il est là, rien n'a changé, le nid, garni, dort. Enfants, nous jouions à tout saccager. On en riait, avec Angèle. C'était comique de voir les nids tomber, les oiseaux voler dans tous les sens avant de recommencer à bâtir. Nous n'étions pas méchantes, mais désœuvrées. À la campagne, il fallait être un garçon pour se perdre dans les prés, tuer les mouches avec un lance-pierres ou avoir le droit de plonger nu dans les cours d'eau. À la campagne, les filles apprenaient tôt à être des mères. Ainsi avons-nous donc vécu, jusqu'à ce que notre père décide de quitter Bernay. Je connaissais mes tables de multiplication par cœur lorsque nous nous sommes installés à Paris. En vérité, mes parents n'ont jamais vraiment vécu dans cette ville, l'ont traversée comme on arpente un hall de gare avec, dans la tête, un train à prendre, un train à attendre, mais qui ne démarre pas. Avec, au fond des yeux, cette simplicité bornée, cette petitesse tenace et qui, à la maison, déteignait sur tout. Cloîtrés dans leurs façons, ils y mettaient du leur, père et mère, à nous transmettre leurs complexes de classe, nous mettre, comme ils aimaient à le répéter, dans la bonne voie, cette route où, propres sur soi, dans une humilité qui était leur défaite, nous deviendrions épouses, ouvrières, femelles, nous resterions toujours à notre place. Avec, dans leurs mots, ni perspective ni rêve. *Se tenir à ce qui est. Ne pas péter plus haut que ses fesses.*

Une seule fois, j'ai vu ma mère pleurer. Son frère, employé sur une plate-forme pétrolière, avait sauté. Tapée à la machine, la lettre s'excusait et invitait la famille à se recueillir auprès de la dépouille. Ma mère n'y est pas allée ; c'était trop tard. Le courrier datait de deux ans.

Des années plus tard, au décès de papa, je crois bien que ses yeux sont demeurés secs. Que le chagrin qu'elle abritait en elle a tout mangé, tant mangé qu'il n'est plus resté que lui. Le cadavre paternel mis en terre, c'est moi qui me suis chargée de tout. Vider les placards, préparer les cartons, trier, fouiller jusqu'à ce que je découvre cette photo. Le regard grave, d'époque, un couple en noir et blanc fixait l'objectif. Ne cillait pas, tandis que mon regard s'attardait sur les détails, sur leurs chemises où avait été cousue une étoile. D'autres photos, d'autres familles juives, avaient été conservées, classées par une main qui semblait avoir pris plaisir à le faire, qui, dans la satisfaction du devoir accompli, avait dû se servir un coup de rouge, ouvrir les cuisses d'une femme de nuit, relever le col de son manteau, le lendemain, parce qu'il faisait froid aujourd'hui, que quand il neige, en Normandie, on ne sait jamais quand ça s'arrête. Une main qui m'avait été familière et, bien que sèche, chère. Toutes les petites filles sont amoureuses de leur papa. Qui, sans doute, à ma naissance, avait pris temps de caresser mes joues, de me faire guili-guili dans le cou, de nourrir mon petit être de choses qui tiennent au corps. Ce n'était pas tout ; il y avait d'autres documents, des lettres que mon père n'avait pas eu l'heur de brûler, et qui, toutes, le remerciaient d'avoir si bien coopéré. C'était en 43, je savais faire des phrases.

Le lendemain des funérailles de mon père, j'ai embrassé ma mère et pris un train à destination de Bernay. Je me souviens qu'il faisait chaud, c'était un jour de printemps, un parfum de coquelicots emplissait les wagons. Je n'avais pas honte, ni mal, ni soif, je fredonnais une chanson bête, l'histoire d'un homme amoureux d'une orange. Puis le village est apparu et la petite gare était déserte.

Comme autrefois, la route grimpait avant de se diviser en chemins non frayés, envahis par les ronces. Le temps d'enfance avait été long, aussi reconnus-je immédiatement la fontaine, l'ancienne grange du père Salins, plus loin, la placette qui nous servait de terrain de jeu. À l'époque, notre maison se dressait juste derrière et, les jours de grand soleil, on pouvait l'entendre chanter. Perchée sur un tabouret, ma mère faisait ses vitres, sifflant, pour se donner du courage, et bien que notre père détestât cela. J'avançai, mais ne vis rien, ni ruine ni trace. Seule la terre donnant la terre, une nature sans joug. Un vieillard me salua. Il avait été notre voisin, se rappelait surtout Angèle parce qu'elle était rousse et qu'elle se mettait à hurler chaque fois qu'elle voyait le chien. Il avait dû abattre la bête, peu de temps après notre départ. Il m'invita à boire le café, il vivait seul depuis des années. En pénétrant dans la cuisine, je retrouvai la table, les mêmes chaises, cette même horloge, avec, dedans, son coucou mal réglé et qui certaines fois se prenait à sonner sans s'arrêter. Il attendit d'être assis pour rompre le pain et remplit à ras bord les bols. Occupé à casser le beurre, il sembla oublier ma présence. Puis il parla en vrac, raconta la ferme, ses tomates, ma mère. Il l'avait bien connue. Elle fréquentait ses sœurs, c'est pourquoi. De mon père, il savait peu de chose et n'avait jamais voulu se mêler. Puis la guerre était venue, et les gens s'étaient mis à cancaner. On disait qu'il se faisait des sous sur le dos des juifs et qu'il était en relation avec des gens haut placés. On parlait, mais qui sait...

Lorsque je lui demandais ce qu'il pensait lui, et s'il se rappelait quelque chose de précis, il se renfrogna. Je ne connaissais pas la guerre, ni les hommes, ni la misère; je ne pouvais pas comprendre. La conversation retomba, puis je repris le train, les jambes molles, la gorge nouée. Voilà; un homme m'avait portée dans ses bras, mon père était mort et j'ignorais tout de lui. Je ne saurais jamais ce qu'on enseigne aux enfants tôt, la distinction entre le bien et le mal.

Le nid est à ma portée. Il me suffit de tendre la main pour m'en emparer. Mon rapt commis, je range l'échelle et cours dissimuler mon butin dans le cagibi au fond du jardin. Des trois oisillons, je ne vois que les becs béés, pétrifiés. Flairant le danger, ils ont cessé de bouger; seul leur jeune cœur s'affole. L'un d'entre eux, le plus dodu, s'échappe de mes mains, et, attiré par les bruits du dehors, sautille jusqu'à la porte. Cette nouvelle liberté l'enivre, l'oiseau piaille, et dans ce monde déjà hostile cherche sa mère. Celle-là a surgi et vole vers lui. Puis crie. Sautant par-dessus la clôture, un labrador vient de se jeter sur son petit. Il n'en fera qu'une bouchée. Tapie derrière la porte, je regarde s'accomplir la mise à mort. Jusqu'au bout, jusqu'à ce que le règne animal s'achève.

Au matin, le nid était vide. Les oiseaux s'étaient envolés. Ils ne sont pas revenus. J'ai fermé la maison, puis nous sommes rentrés à Paris.

*

C'est novembre, mais on dirait l'hiver. Les peaux des arbres pèlent. Chez les Français, on prépare le réveillon, les boules brillent aux branches des sapins, les congélateurs se remplissent. Pour tromper l'ennui (mon mari et moi ne nous parlons plus), Jacques sort et rentre tard. Je le croise le matin et passe des jours entiers à dormir. Encore mes peurs. Toujours ce corps qui m'incommode, me maintient, quoi que je fasse, hors d'état de participer. Repliée sur moi-même, seule pièce facile d'accès, je deviens sauvage et plus méchante encore. Définitivement, je hais la ville, ses places et ses boulevards peuplés de gens qui me regardent comme si je n'existais pas, déjà plus. La sagesse vient avec l'âge, mais à qui donc espèrent-ils faire avaler cela ? Je crois, moi, qu'elle se barre. Qu'avec le temps, elle nous lâche et nous laisse sur le carreau nus, face à nos remords et sous l'emprise de nos fantômes. Assise sur le rebord de la baignoire, j'entends siffler la mer. Le ciel s'est couvert, ma tête tourne. Ma main ouvre l'armoire à pharmacie, à la recherche des pilules miracle. Tout avaler, et ne plus me réveiller, car mon corps est si lourd.

Dans les eaux troubles de mon sommeil, je perçois les

pinponpin d'une ambulance, une porte que l'on défonce, les gesticulations des brancardiers. Le premier me gifle, le second m'enfonce un doigt dans la bouche. Je crache et geins : *Je ne recommencerai plus. Je ne recommencerai plus.*

À croire que quelque chose de grave est arrivé.

Quelque chose s'est passé, oui. Et je me retrouve là, dans ce grand hôpital où papa qui ne voulait pas mourir est décédé. Où chaque jour ouvert, dans les pas d'ombres en blanc, je passe les portes et longe des couloirs. Déguisée en patiente, j'ai perdu ma langue et suis à la lettre toutes les instructions du personnel soignant. Au troisième sous-sol où j'ai été conduite ce matin, une infirmière bien intentionnée m'explique : «Après la prise de sang, on va vous faire une radio des poumons. Dans un premier temps, il ne s'agit que de quelques actes d'investigation.» D'investi quoi? Ai-je envie de crier à la dame, incarnée par son badge et son jargon. Investigation... Comme si mon corps était ruine, catacombes, grotte, un je ne sais quel site historique à classer.

«Dois-je me mettre toute nue?» m'entends-je murmurer lentement tandis que mes mains, mues par un réflexe de jeune fille, se plaquent contre ma poitrine. L'infirmière sourit ; ma coquetterie l'amuse. Qu'ai-je à cacher à présent?

— Comment vous sentez-vous ces derniers temps?

— Ça va.

— Des douleurs?

— Non.

— Des vertiges, une sensation de fatigue?

— Non plus.

— Très bien, alors on va faire cette petite radio et puis vous irez voir l'anesthésiste. Je lis sur votre dossier que vous avez rendez-vous à 11 heures bâtiment L, deuxième étage. Vous savez où c'est?

De nouveau je vais. Monte et descends, m'assieds, me lève, au rythme de ces bruits si caractéristiques des hôpitaux. Dans cette blouse bien trop large et où je ne ressemble à rien, je suis un numéro parmi des milliers d'autres, un dossier rangé à la lettre S, un fichier informatique voué à buguer à n'importe quel moment. Au dernier étage où ils m'ont installée, j'écoute les hommes se battre pour la vie, pleurer ou pas, hurler à mort parfois, en fonction des nouvelles qu'on leur annonce. On n'est sûr de rien ici, la situation peut évoluer très vite. Aujourd'hui, par exemple, ils disent que je suis malade. Un cancer, c'est tout ce qu'ils ont trouvé de mieux. Un cancer, c'est quelque chose, un motif suffisant pour disparaître. Ils pensent que je ne m'en sortirai pas, en ont la preuve et font des pronostics : *Tes eaux rougiront. Tu passeras des nuits blanches. Tu ne verras pas se faner l'été.*

Ils parlent, ils parlent, mais ils ne m'auront pas. Je sais ce que j'ai ; je meurs parce que je suis vieille et que j'ai fait mon temps. Et qu'ils ne s'avisent pas de faire graver quoi que ce soit sur ma tombe. Mes initiales suffiront.

Qu'ils sont pitoyables ces gens autour de ma dépouille, qui, persuadés de m'avoir bien connue, s'étonnent de me voir si changée. Qu'ils ont du toupet de continuer à vivre quand ma chair à cancer est en train de pourrir, sous la bénédiction d'un prêtre véreux parce que impuissant à me rendre ma vie.

Mais les voilà qui se penchent pour ne rien perdre du spectacle et mouiller de leurs eaux âcres mon malheureux cercueil. Quelle faute de goût tous ces habits et chapeaux noirs, quelle merde cette pluie qui tombe et m'interdit de compter leurs larmes ! En écoutant Jacques parler et dérouler ma vie comme du papier cul, je maudis le Ciel. Faites-le taire ! Qu'une bonne fois pour toutes, il se taise et me dispense de ces fausses auréoles que les vivants par superstition donnent aux morts.

Et tous les autres de se signer, de soupirer. De demander pardon pour le mal, s'ils l'ont fait, qu'ils m'ont fait. Inutile de vous agiter. Votre tour viendra.

Toute la famille est là lorsque je me réveille. Tous m'inspectent et en petits gendarmes accusent. Tu as fauté, décrètent-ils en silence, faits à cette politesse rugueuse et bourgeoise.

Ils mériteraient que je me fâche fort et que je leur hurle mes quatre vérités. Comment j'en ai plus qu'assez de cette vieille peau qui m'emprisonne, fait de moi cette mémère que j'exècre. Et si je refusais de vieillir pour de bon, si je laissais passer mon tour ? La liste des vieillards consentants est longue. Les villes regorgent de vieux de bonne volonté, prêts à fiche le camp sans faire d'histoires.

Tiens, on dirait bien que mon fils Thomas n'est pas venu seul. Un jeune garçon l'accompagne, son fils, je présume. Quel nom déjà ? Gabriel, ce me semble, le prénom de mon père. Quant à Grégoire, il n'a pas changé celui-là. Cinq ans que je ne l'ai vu, et c'est toujours la même histoire, le même air de con qu'il porte sur son visage. Dans quelques années, il sera un grand con, quittera sa femme pour la même mais en plus jeune. S'il avait su d'ailleurs, il ne l'aurait pas épousée, l'aurait abandonnée avec ses deux morceaux de gosses dans le ventre. S'il s'était écouté, il ne serait pas venu non plus ce matin et n'aurait pas perdu trois heures dans les bouchons.

Je suis content que tu sois là, lui souffle Jacques avant d'affronter la haine dans les yeux de Pierrick.

— Votre maman ne va pas bien. Quelque chose de louche au niveau de l'utérus, ils parlent d'un cancer.

Ben voyons, c'est donc cela mon châtiment : demeurer là, dans ce grand hôpital de France avec vue sur parc, guirlandes au plafond et une maladie que je n'ai pas en moi. Quel mari fais-tu donc Jacques pour te monter ainsi la tête et penser que mon ras-le-bol cache nécessairement une tumeur ? Papa avait raison, il faut se méfier des médecins, j'exige d'être libérée sur-le-champ !

Ses cinq minutes réglementaires écoulées, Pierrick-qui-part m'embrasse. Un baiser bref sur le front, de circonstance comme pour les morts. Vu de dos, c'est le portrait craché de Jacques. Épaules basses, même démarche de ceux qui ne se retournent jamais. Perdu. Il vient de le faire après s'être rappelé sa sacoche, oubliée sur la table ; mon fils est un homme distrait. C'est étrange, c'est la première fois, depuis longtemps, que je le vois sans casquette. Il est chauve, je l'ignorais, et ses sourcils sont singulièrement broussailleux. Mais au fond que sais-je de lui ?

Sur son carnet scolaire, daté du dernier trimestre 1984, il est dit que Pierrick peut faire mieux, qu'avec du travail et plus d'assiduité, sa moyenne augmentera. Notre fils aura son bac et un emploi. Le même carnet révèle aussi que l'élève est un adolescent taciturne, que nous devrions le mettre au sport ; un jeune de quatorze ans n'est pas fait pour rester des journées entières seul dans sa chambre. Les années passeront et nous nous réjouirons d'avoir offert à nos garçons une éducation de gauche, un certain art de vivre, des débats sur tout, la liberté de parler, aimer, porter le jean ou manger. Les années ont passé et je ne reconnais plus mes fils. Se peut-il qu'on m'ait trompée et que, comme dans un très mauvais téléfilm, mes enfants aient été échangés contre d'autres ?

Gabriel, qui s'est assis sur le lit, me demande qui je suis. Ma réponse l'intrigue ; il ne se connaît qu'une grand-mère, celle du cimetière de Nantes. Embarrassé, Thomas coupe court à la conversation et lui ordonne de laisser *mamie* en paix. Un mot, et me voilà intronisée, et intouchable. Un long silence s'ensuit. Chacun s'y réfugie, indigné par mon indécence, ce corps de vieille à moitié nu et qu'au lieu de cacher, je montre, ce corps étranger mais qu'ils ont sucé. Combien de litres de mon lait leur ai-je donnés ?

Les mains de mes fils hésitent et se rangent, leur tête se tourne en direction de Jacques, papy Jacques, que, décidément, rien ne démonte et qui tente de faire rire Gabriel avec ses blagues minables et ses devinettes Carambar. Apathique, l'enfant rejoint son père qui en profite pour lever le camp. Reviendra, reviendra pas ? Il appellera. Naturellement s'organisera, mais il ne peut rien promettre ; Blandine est encore enceinte, il vient d'être licencié, la boîte de vitesses de sa Peugeot ne fonctionne plus.

— Comme tu voudras.

Mon fils baisse la tête et me hait pour ce que je viens de sous-entendre. À choisir, il me préférerait morte, sous terre depuis longtemps, de sorte qu'il n'ait plus aucun deuil à porter, et, en somme, ne me doive plus rien. Je peux sentir son haleine lorsque ses lèvres effleurent mes joues, cette odeur de Colgate à peine assez forte pour camoufler une nuit d'alcool.

Puis c'est au tour de Jacques de se retirer. Le fait-il avec soulagement? Je ne sais plus quoi penser. Je le regarde. Il marche. Je le vois marcher jusqu'à la porte qu'il ouvre et s'empresse de refermer comme quelqu'un qui se serait trompé de chambre, de femme. Ma famille a disparu et je ne peux m'empêcher de pleurer. Suis-je seule tout à fait? Est-ce la fin pour de bon?

*

Dans le petit lit jumeau, un corps étranger vient de bouger. Ma voisine de chambre s'éveille. Émergeant des draps, elle ressemble à un baigneur, bras potelés, cheveux rares et qui frisent. D'un sourire mal habile, je la salue. J'ai honte à l'idée qu'elle ait pu nous entendre et voir, dans ce mari et ces fils qui me quittent, l'incontestable preuve de ma culpabilité. Un mari est-il assez odieux pour laisser croupir sa femme au dernier étage d'un grand hôpital parisien? Se peut-il qu'autant d'enfants se détournent, sans raison valable, de leur maman?

À moins qu'elle ne se figure, elle aussi, que je suis folle, capable, à n'importe quel moment, de céder à mes pulsions. Toujours se méfier de l'eau qui dort, songe-t-elle probablement en son for intérieur, se rappelant soudain cette stupéfiante histoire, où, riche, mariée et bonne mère, une femme de trente-quatre ans avait découpé ses bébés à la scie sauteuse. Dans les médias, où l'affaire avait fait la une pendant plusieurs semaines, les experts s'étaient alliés pour dénoncer la porphyrie. Autrement dit, ce n'était pas par conviction personnelle ou par cruauté que la malheureuse s'était débarrassée de ses enfants, mais parce qu'elle était gravement malade, atteinte de cette drôle de pathologie incurable. Harcelé par les journalistes, l'époux avait dû témoigner. Et je n'ai pas oublié son visage, cette stupeur dans les yeux quand, par le menu, il avait décrit leur vie de couple, sa passion pour elle, son souci d'elle, sa peur bleue de démériter. Qu'espérait-il démontrer en consentant à être filmé chez eux, dans ce quatre-pièces meublé avec cœur où rien de dégradant n'aurait dû arriver ? Où, dans un énième plan-séquence, il reconstituait la scène, cette nuit où, rentré tôt, il avait surpris son épouse en train de se laver les mains. Comment avait-il pu si commodément fuir ses responsabilités ? N'avait-il pas, dans son amour benêt d'homme, poussé sa femme à l'action ?

Ma voisine de chambre s'est levée et, passant une robe de chambre, se tourne brusquement vers moi.

— C'est comment le petit nom ?

— Louise.

— Comment ?

— Louise.

— Je ne vous entends pas.

Tandis que j'inscris mon nom sur un bout de papier, la dame sourde comme un pot se met à fredonner. Une chanson triste — bien que le sens des paroles m'échappe —, qui s'interrompt brusquement ; ma voisine a oublié comment se souvenir. Dos voûté, l'œil hagard, la voilà qui se rassied et croise haut ses jambes avant de reprendre la conversation. Dans ses yeux, clairs comme des billes, se reflète sa vie, le bourg où elle a grandi, cette mer d'argent qu'elle contemple chaque matin depuis le seuil d'une maison. J'entends la voix des vagues et comme j'envie cette femme, qui, née, mariée, vieillie dans un même lieu, a de l'existence une vision sommaire, va sans chimères, et vit ce qu'elle peut. Quelle espèce de femme aurais-je été si, demeurée à Bernay, dans la maison familiale, j'avais épousé l'un des fils Salins? Aurais-je à cette heure mon potager à moi, mes coutumes, mes rituels, ce sentiment de n'être pas ballottée par les vents mais rivée à la terre? Je gage alors que toutes les *lumières* de notre siècle n'auraient eu, sur moi, aucune incidence. J'aurais été libre, sans doute.

J'ai fait fausse route; ma voisine n'a pas eu une vie ordinaire.

— J'avais douze ans, je rêvais de faire danseuse en France. Alors quand mon corps est devenu grand, j'ai pris mes cliques et mes claques et j'ai débarqué à Marseille. J'ai tout fait à Marseille. Il y avait du boulot pour tout le monde en ce temps-là. Vous savez travailler, vous? Je vous demande ça, parce que c'est l'essentiel. La santé, c'est le travail, vous ne croyez pas?

Puis, changeant de ton et de place, elle s'écrie:

— Aïe bon Dieu! Ça par exemple, si je m'y attendais! Bonjour madame Saucisse, comment allez-vous aujourd'hui? Vous avez bien mangé? Il faut tout manger! On voit que vous n'avez pas connu la misère. J'ai souffert un lot, alors je peux vous en parler. Et votre maman, elle tient toujours l'épicerie à l'angle de la rue Joséphine? C'est que le pays change si vite!

Je hoche la tête pour avoir la paix, mais exigerai, dès demain, d'occuper une chambre individuelle. Un hôpital aussi moderne, aussi spacieux, aussi tout devrait être en mesure de loger convenablement ses patients. Au prix où sont les chambres, je peux bien me permettre de réclamer. Et puis, ce n'est pas pour des prunes que j'ai passé trente ans de ma vie à cotiser!

Aucun miroir d'aucune sorte n'a été posé dans la salle de bains. Enduits d'une double couche de peinture lavable, les murs sentent le Cif et l'Hexomédine. Assise sur une moitié de fesse, je me retiens de faire puisqu'il paraît que mes eaux rougiront.

— Tototo, devine qui est là ?

Je connais cette voix et éprouve, à l'instant même où la porte des toilettes s'entrouvre, une violente humiliation. Être surprise par Laurence en une si fâcheuse posture achève de me convaincre que mon temps est révolu. Un bouquet de fleurs dans les bras, un sourire plaqué sur son rouge à lèvres, elle me tend un paquet avant de retourner s'asseoir dans la chambre. Trois mois se sont écoulés depuis notre « baignade » à Honfleur. Laurence a changé. Quelque chose de nerveux dans les gestes et dans le regard. D'une traite, me résume-t-elle ainsi son automne-hiver : ses huit heures de Qi Gong hebdomadaires, ses quatre heures trente de marche le week-end, son inscription dans une association à destination des primo-arrivants, avec ou sans papiers. *Réhabiliter, repères, intégration, exil* rythment son discours. Enflammée, Laurence s'implique, politique, solutionne. En fin de course, se justifie ; ce n'est pas pour se donner bonne conscience qu'elle a choisi de s'engager mais parce que « nés libres et égaux, tous les hommes ont le droit de circuler comme ils l'entendent ». En parlant d'Africains, elle a une histoire croustillante à me raconter. *Elle glousse.* S'apprête à se confier lorsqu'elle se rappelle brusquement la raison de sa présence ici.

— Et toi, dis-moi, comment te sens-tu ?

Distraite, déjà levée, elle met ses gentianes dans un vase

et en profite pour faire la peau aux fleuristes, tous des voleurs. « Autant acheter dans le métro, c'est pareil et moins cher. » S'ensuit une critique molle de la télévision française, du dernier Sollers et du traitement des crottes de chien sur la voie publique. En conclusion, et comme chaque fois que quelqu'un d'ordinaire n'a rien d'intelligent à dire, c'était mieux avant. Les gens, la vie, bref, c'était mieux.

Vaincue par tant d'inanité mais respectueuse des lois (on ne peut pas frapper un ami), je me lance dans la seule entreprise concrète possible : l'ouverture du paquet. Prenant mon rictus pour un sourire, Laurence jubile.

— Je savais que tu adorerais !

Les joues gonflées d'orgueil (n'a-t-elle pas, mieux que moi, toujours su ce qui me convenait), elle baise mes mains, mes joues, mon front et, pensant tout bas qu'elle me survivra, bénit le Ciel d'avoir mieux tenu le coup que moi. Pour preuve, l'album photos qu'elle vient de m'offrir.

— Je dois y aller ma pauvre chérie.

Puis :

— Appelle-moi si tu as besoin de quoi que ce soit.

Le tout formulé avec une indiscutable sincérité, attestant une amitié sans grande faille dont je devrais me réjouir, compte tenu de ma situation. Qui n'a jamais rêvé de mourir entouré ?

*

Je suis retournée au bâtiment L et attends depuis une heure qu'on veuille bien me recevoir. Assise face au mur, je tente de me persuader que je vais bien, qu'aujourd'hui n'est rien et que demain je sors. Une robe de chambre sur le dos, j'ai un peu froid quand même. Ai la tête des jours sans et dois, sans doute, faire mon âge. Au fond du couloir, il y a cette fille qui fait les cent pas devant une porte. Tout à l'heure, un homme l'embrassait, les deux pleuraient, puis une infirmière est venue le chercher, lui. Le couple s'est de nouveau enlacé et la fille a vraiment été seule, avec ces pieds qui refusent de s'arrêter de marcher. En vérité, je me réjouis de ce malheur. Il y a donc, dans cette ville, des gens qui souffrent plus que moi, ont des emmerdes et des angoisses supérieures aux miennes. Tout compte fait, je ne suis pas mal lotie, juste besoin d'un peu de repos et de beaucoup de recul. C'est précisément pour faire le point que j'ai été convoquée ce matin.

Derrière un bureau d'aide-comptable, Mlle Malo Christiane retire ses lunettes puis, m'indiquant le fauteuil, me sourit. *Non merci, je sais parfaitement où ils veulent tous en venir ; s'asseoir rend faible et je ne lâcherai rien.*

— Comment vous sentez-vous ?

— J'ai déjà répondu à cette question.

— De quoi souhaitiez-vous me parler ?

— C'est un peu fort, lui fais-je remarquer, c'est vous qui avez tenu à me rencontrer. Avant d'ajouter que personne ne peut rien faire pour moi. Que le bonheur étant une notion individuelle, il ne concerne ni les hôpitaux ni la sécurité sociale.

— J'aimerais que vous me considériez comme une amie. C'est important, vous savez, de ne pas rester seule avec la maladie.

— Je ne suis pas malade.

— Ce n'est pas ce qu'indique votre dossier. Louise, je peux vous appeler Louise, n'est-ce pas ? Il faut être raisonnable. Ce cancer, ce n'est pas en lui tournant le dos que vous parviendrez à le dompter. Il n'y a pas de honte à être malade. Votre histoire, elle pourrait arriver à n'importe qui. Ce que j'aimerais donc c'est qu'on en parle toutes les deux. Une fois par semaine, ça vous irait?

Christiane rechausse ses lunettes. Sort un cahier et écrit tandis que je m'excuse.

— Je m'excuse, oui, mais je dois rentrer chez moi. Je veux dire, dans ma chambre. C'est râpé pour aujourd'hui. Une autre fois, peut-être.

Songeuse, Christiane s'est levée et, comme l'amoureuse derrière la porte, fait les cent pas dans son bureau. Elle pourrait être ma fille et mère d'enfants qui connaîtraient par cœur mon nom. Nous passerions nos dimanches en famille. Elle repasserait le linge tandis que j'inventerais des tartes avec des fruits de saison. Ma boîte à rêvasseries se referme ; la croupe et le cœur de la psychologue sont secs. Son ventre intact n'a pas encore porté.

— Hum, hum, je comprends. C'est toujours ce qu'on dit, au début. Mais, vous avez raison, nous nous verrons un autre jour. Sans doute est-ce trop prématuré, trop... frais.

Ni tôt ni frais, mais trop tard. Ma mort ne regarde que moi. Personne, plus personne, n'y pourra rien changer.

Et puis je marche dans un couloir, avise un étage, n'importe lequel, une pièce autre que ma chambre, où me guérir, où me consoler. C'est le vestiaire des femmes. J'entends leur bourdonnement et tous leurs menus gestes, ce temps des femmes, autorisé et imprenable. À pas de louve, je me rapproche pour lire sur les lèvres les otites des gosses, l'argent du mari, ce truc sans nom qui certaines fois les hante, leur donne des rêves et de l'eau dans le ventre. Celle-là sait-elle de quoi je parle qui, brossant ses longs cheveux de laine, songe à cet amant qu'elle s'est promis de ne plus revoir? Regrette-t-elle déjà ce qu'elle s'apprête à faire tandis que son mari, dehors, dans la voiture, l'attend, pense à son sexe, ses lèvres, ses fesses, avec les mêmes mots qu'il y a dix ans ? En voilà une autre qui s'asperge d'eau de Cologne et, le faisant, me ramène loin en arrière, au temps de mes seize ans, à Paris. Cette odeur de lavande, c'était notre voisine qui la portait, jusqu'à ce qu'elle se mette à sentir fort et que son mari, anéanti, nous annonce que sa femme venait de le quitter. Elle avait rencontré un homme, un falot, mais qui lui plaisait assez pour l'autoriser à changer, redevenir ce qu'elle se figurait être. La dernière fois que je l'ai vue, je ne l'ai pas tout de suite reconnue, sans doute parce qu'elle puait la rancœur. L'amant disparu, elle avait fini par rentrer chez elle et tomber enceinte. La fille, dans le vestiaire, a cessé de se coiffer et, croisant mon regard, grimace de dégoût. Elle n'en veut pas encore de mon corps qui dit vrai, se convainc que mon cas est particulier, circonscrit à cet hôpital spécialisé en tumeurs malignes. Chassée, je cherche la route qui me conduira à ma chambre.

*

La Marseillaise a planté deux choux gris sur son crâne. Collée à la fenêtre, elle regarde l'orage naître. Puis, baye aux corneilles avant de soulever son matelas pour en extraire une boîte noire. Une boîte à musique sans musique où, postée derrière la porte, une poupée manchote et chauve continue vaille que vaille à tourner. Pressant l'objet contre sa poitrine, ma voisine délire :

— Je ne laisserai personne te toucher. Je te le promets.

La boîte rangée, la vieille s'avance vers moi et effleure du bout des doigts l'album-cadeau de Laurence. Ses mains tournent et le passé s'ouvre : des années d'archives, des dizaines de photos, qui toutes se ressemblent, mettent en scène des rentrées scolaires, des baptêmes et des mariages.

À ce moment, je venais d'obtenir le prix d'excellence ; maman m'avait confectionné une robe en serge bleue. C'était la première fois que je mettais autant de bleu sur moi. Il devait être 16 heures. La nuit de Bernay tombe vite.

— C'est toi ici ?

Je hoche la tête, mais sans conviction. Car en vérité il n'est aucune jeune fille présente dans cet album qui me ressemble. Aucune pour me précéder, s'apprêter à devenir celle que je serai. Se peut-il que je n'aie pas eu à grandir ? Que ces rides, ces vergetures, ces varices aient toujours été là ? Suis-je une vieille spontanée ?

La Marseillaise sourit. Elle aime bien voir les fleurs. En particulier, celles des cimetières. Chez elle, dans son pays bordé d'eau, il en pousse plein aux abords des cases, qu'elle prononce *casses* à cause de ce cheveu qu'elle porte sur la langue.

— Farida, elle était de ta couleur. Blanche partout, sauf la plante des pieds qu'elle enduisait de henné et qui foutait une de ces trouilles aux hommes ! On a bien rigolé avec cela.

Soudain, j'ai envie de mentir. Me fabriquer une existence sur mesure avec autant d'aventures qu'il s'en peut vivre, des histoires d'amours extrêmement compliquées. On dirait que des milliers d'hommes m'ont adorée, mais que je n'en ai aimé qu'un seul. Que cet amour-là aurait disparu, comme ce marin de Gibraltar qu'une riche Américaine passe toute sa vie à chercher. Qui irait vérifier ? Qui oserait contredire les mémoires d'une vieille personne ?

Mais la porte s'ouvre, une infirmière surgit et mes mensonges restent en suspens.

— Non mais vous avez vu l'heure?! Vous devriez être couchées depuis longtemps. Allez hop hop hop, donnez-moi cet album et éteignez-moi cette lumière!

La nuit est tombée et ma voisine de chambre n'a pas sommeil. Sur le mur, elle joue à faire le chien, les oreilles d'un lapin, une poule et son poussin. J'ai cinq secondes pour trouver et je trouve. «Tu es la plus forte», s'écrie-t-elle en applaudissant. C'est à moi à présent, et parce que je n'ai jamais été très habile, ne fais naître sur le mur blanc que des ombres sans forme. Le jeu tombe à l'eau et la Noire me regarde avec douceur. Sent-elle comme mon cœur est sec?

Lentement, elle s'empare de mes mains qu'elle caresse. Dehors, c'est comme une rivière. Le vent siffle aux oreilles des arbres.

*

Au matin, la grâce est partie et mon corps a perdu son orthographe. Seuls mes yeux marchent: gauche-droite, gauche-droite, collés aux va-et-vient du personnel et des visiteurs. Trois jours, ou peut-être trois semaines, s'écoulent. Ma tête est lourde, des milliers de croix s'y bousculent. Une heure, une croix. Chaque heure, sa croix. Pas bouger. Il est inutile de s'en faire puisqu'il y a des tombes sous tous les lits. L'autre jour, j'ai aperçu la mienne, en bois qui dure, du chêne naturel. Combien d'arbres, j'ai pensé, a-t-il fallu abattre pour la construire? J'ai demandé combien, mais les filles ont fait comme si pas, comme si c'était la télévision qui parlait, comme si tout ce que je pourrais dire à présent ne serait pas pris en compte. Je me suis tue et les eaux sont montées.

À midi, elles sont revenues avec les plateaux, les filles. Leur voix chantait et disait qu'il fallait tout manger. Les carottes qui rendent les cuisses roses, le poisson pour la mémoire, la laitue à chier. J'avale sans croire. Et puis je suce mes comprimés.

Aujourd'hui, c'est mon mari qui me tient compagnie, jambes croisées, un panier de fruits à ses pieds ; ma tête à couper que ce sont des oranges ! Il me fait face, porte le débardeur maison et le sourire de l'impuissant. Sous ses vêtements sans faux plis, je devine le corps, volontaire, assurément, et coriace. Jacques est si, comment dirais-je ? si exemplaire, une réclame pro troisième âge, la preuve, vivante, que l'homme a su dompter la nature.

— Nous allons devoir être très courageux.

Ainsi fait-il en veillant à bien articuler chaque mot.

— Le docteur n'est pas très optimiste.

— On ne les paie pas pour être optimistes.

— C'est l'un des meilleurs spécialistes que nous ayons actuellement.

— Et que dit Superman ?

— Nous attendons la semaine prochaine pour être vraiment sûrs.

— Tu n'auras qu'à m'informer. Tu sais où me trouver.

— Je t'aime, tu sais, mon cœur.

Je détourne la tête.

— Angèle t'embrasse. Elle a promis de passer te voir dès qu'elle rentre. J'ai aussi eu Thomas en ligne. Il vient dimanche.

— Pour faire quoi ?

— Il se fait du souci pour toi.

— Vous devriez monter un club. Sauvez Louise, SOS mémé ou quelque chose dans ce goût-là.

— Tu n'es pas juste. Ta maladie nous affecte profondément.

Il a décroisé les jambes (l'embarras sans doute) et observe les nuages dans l'encadrement de la fenêtre. En forçant un peu, il devrait apercevoir la grille verte, cette porte qu'il rêve de prendre en secret. Jusqu'à quel point cette maladie le touche? Combien de temps encore estimera-t-il être concerné? Le regard braqué sur lui, je cherche ce qui, dans ses traits, a changé. Si l'œil reflète les dedans de l'âme, alors, je veux savoir ce que vaut cet homme.

Hier, dans le journal, ils ont interviewé une femme accusée d'avoir euthanasié son conjoint atteint d'une leucémie. Sans une larme, sans se démonter, elle a déclaré l'avoir fait par amour, elle aurait fini par le haïr, sinon. Dans la chambre, juste après, une conversation s'est engagée entre les aides-soignantes. À les entendre, toutes étaient pour, et louaient le courage et le sang-froid de la veuve. Profitant qu'elles étaient dynamiques et motivées, je les ai suppliées de me rendre un service. Personne n'en saurait rien, les causes de mon décès resteraient entre nous. J'étais sérieuse, mais elles ont ri et décrété qu'il ne fallait pas être pressée. L'âge n'est pas encore un critère suffisant pour tuer un homme, ont-elles ajouté avant de refermer la porte de la chambre. Toute la nuit, j'ai pleuré. J'étais foutue. Seul mon cancer me délivrerait du *mal*.

La chaise grince, Jacques vient de jeter un œil à sa montre. C'est un geste neuf, une nouvelle montre. C'est étrange comme le fait d'être malade, diminué, renforce l'acuité et l'attention aux choses. Avec le temps, sans doute finirai-je par connaître mon mari.

— Je vais devoir y aller.

— Tu continues le squash?

— Non, j'ai rendez-vous avec un agent immobilier. J'ai pensé que nous pourrions revendre l'appartement et qu'il était peut-être temps de...

— Se débarrasser des vieilles choses.

— Que veux-tu dire?

— Ne joue pas avec moi.

— Je t'aime ma chérie.

— Je sais, tu me l'as déjà dit et je ne suis pas complètement idiote. C'est pour moi le panier?

— Ce sont des pommes bien roses, exactement comme tu les aimes. Elles viennent du jardin de Paulo. J'ai pensé que ça te ferait plaisir.

— Il ne fallait pas. À présent, je risque de me faire couper la tête.

— Qu'est-ce que tu racontes Louise?

Déconcerté, Jacques s'approche du lit, caresse mes joues, mes paupières, mon front (à croire qu'ils se sont passé le mot). Puis, se penche pour baiser mes lèvres, trop bleues pour faire lèvres.

— Je t'aime, il répète. Je suis avec toi, bredouille-t-il, avant de pousser un cri aussi crédible que dans un film d'épouvante, quelques minutes avant le générique de fin.

Le panier se renverse. Le parquet vire au rose pomme. Jacques se redresse et s'assure, malgré le sang dans sa bouche, que sa langue est toujours en place.

— Tu m'as... Mais, qu'est-ce qui t'a pris de me mordre?

— Je m'excuse.

Rivées au dossier du lit, les mains de mon mari font un effort surhumain pour contenir leur colère et ne pas s'abattre sur moi. D'instinct, le corps recule jusqu'à la porte de la chambre. Alors advient ce qui n'aurait jamais dû se produire, en vertu du principe que mon mari m'aime et qu'il a toujours su garder son sang-froid. Jacques fiche le camp en me menaçant de ne plus jamais revenir, de me laisser en plan, toute seule. Comme l'on fait avant les vacances avec les chiens en rab.

*

Lundi en 16 : aucune nouvelle de mon mari, ni de mes fils, ni de mes vieux camarades. À croire que la ville est morte et que plus rien de vivant n'existe derrière la grille. J'ai revu Mlle Malo trois fois, mais elle n'avait rien d'important à me dire. Elle m'a fait asseoir sur une chaise et m'a posé des questions sur ma vie. Elle pense que je suis une grande dame qui a beaucoup œuvré pour *notre émancipation*. Il vient dans ses yeux, lorsqu'elle emploie ce terme, une candeur presque touchante, une foi que je n'ose ébranler. Je fabule, donc. Jeudi, je lui ai, par exemple, raconté que j'avais fait de la prison, qu'une dizaine d'amies et moi avions été arrêtées alors que nous nous apprêtions à faire sauter le Sénat. J'ai dû remettre cette conversation à plus tard ; on frappait à la porte, la jeune femme au fiancé mort souhaitait se confesser.

La matinée s'écoule et je profite de l'absence de ma voisine pour lire un peu. Le dernier Sollers, il est vrai, est passable. Je décroche à la page 10 et n'ai pas vu passer la 11 quand une ombre se penche sur moi.

— Alors Louise, tout va comme vous voulez ?

Docteur Superman affiche son sourire PS, de vrai gars de la gauche qui considère le patient comme un pote. Pour un peu, il me taperait sur l'épaule et m'offrirait à fumer pour me mettre à l'aise, me faire admettre l'idée que nous sommes tous égaux devant la mort.

— Je veux sortir.

— Vous voulez déjà nous quitter? Ce n'est pas très gentil, ma chère.

Il va la boucler, nom de Dieu? Il va me la sortir, sa fiche, où tout, absolument tout, y compris la date de ma mort, est consigné.

— J'ai préféré attendre d'avoir tous les résultats des analyses pour venir vous voir. Comme a dû vous le confier votre mari, le bilan n'est pas très positif.

— Combien de temps me reste-t-il?

La question est tombée toute seule. J'ai dû lire cela dans un livre.

— Ce n'est pas tout à fait en ces termes que se pose le problème. En l'état actuel des choses, nous pouvons opérer. Nous devons même le faire tant qu'il reste un espoir de vous sauver. Et croyez-en mon expérience: rien n'est jamais perdu! Il faut se battre, Louise. Vu votre âge, vous avez des chances de vivre encore quelques années. Dès à présent, je vous propose donc une date. Le 5 février, hein? Qu'en pensez-vous? Cela vous irait-il? Bien entendu, nous vous accordons un petit délai de réflexion, c'est le genre de décision que l'on ne prend pas à la légère. Discutez-en avec votre époux, et je reviens vous voir la semaine prochaine pour savoir où nous en sommes. Ça me paraît mieux comme cela, non?

— En quoi consiste exactement l'opération?

— Nous avons l'habitude de pratiquer cette intervention, j'ai moi-même eu à la faire quand j'habitais Chicago.

— Je ne vous demande pas de me raconter votre vie. Dites-moi juste ce que je vais perdre en passant sur le billard ? La vie, c'est une question de donnant-donnant. J'ai suffisamment vécu pour le savoir.

— Disons que l'hystérectomie consiste à enlever l'utérus de la femme. Comme vous n'êtes pas toute jeune, ce n'est plus si important.

Silence au bout du fil, puis Jacques soupire avant de me proposer un autre rendez-vous téléphonique. Une affaire assez urgente le retient plusieurs jours en province. Il n'est pas disponible le 5, mais promet de rentrer dès que possible, de faire de son mieux et bien qu'il ait décidé de ne plus rien me passer. « Ma bonté a des limites », ajoute-t-il, ignorant superbement l'objet de mon appel. J'insiste.

— C'est le docteur en personne qui m'a recommandé d'en discuter avec toi. Il a dit : *C'est le genre de décision à prendre à deux, avec votre mari.*

— Je croyais que tu t'en contrefichais de l'avis des médecins !

Jacques me dégoûte. Pour un vieux, il devrait être plus charitable et aimer son prochain comme lui-même. Être vieux, et méchant, est incontestablement une faute de goût.

*

À l'instant où elle m'apparaît, je regrette mon coup de fil et me maudis d'avoir cédé à ce stupide instinct de famille. Mais le sang c'est le sang, on ne peut pas nier ce principe. Angèle est ma sœur, que je le veuille ou non. Vêtue de rouge, et de court, elle prend toute la place dans l'hôpital, remplit le hall, l'ascenseur, les couloirs, cette chambre où elle se figure pouvoir faire son numéro de femme célibataire, autonome et lesbienne. Où, dos à ma voisine qu'elle salue à peine, à cheval sur une chaise, elle embraye : / *si t'en es là cocotte c'est parce que tu l'as bien voulu / depuis le temps que tu aurais dû quitter Jacques ! / vivre avec un homme, ce n'est pas une vie pour une femme, cocotte / c'est toujours la même chose : ils ne pensent qu'à eux / ils t'épousent parce qu'ils sont incapables de se suffire à eux-mêmes / si tu te décidais à t'assumer, tu pourrais être heureuse / tu n'es encore pas si mal après tout / toi qui t'es battue pour nos droits, tu devrais avoir le courage de lutter pour t'en sortir /*

Un sourire de poupée russe naît sur les lèvres de ma sœur, qui, s'effaçant, en révèle d'autres, différents. Angèle grimace parce que les pensées qui l'assaillent l'étouffent, qu'elle souhaiterait ne plus éprouver ce qu'elle ressent pour moi, ce drôle d'amour nourri de haine qui interdit de vivre pour soi, tout à fait. Dans une famille, chaque personne a un rôle. On distribue les masques, on apprend les textes, et puis on joue. On joue sans public ni critique, mais entre soi, dans ce fantastique huis clos que constitue le foyer. Le temps passe, les peaux sous le masque se rident, mais les représentations ne changent pas. Parents et enfants interprètent les mêmes personnages. C'est la règle du jeu, et c'est sans doute la seule option pour que se maintienne l'ordre.

Dans ma famille, j'ai toujours été l'aînée. Ce n'était pas une question d'âge, mais de fonction. Pour tous, j'étais la grande, celle qui sait et fait mieux que sa sœur parce qu'elle ne prend pas de risques, a hérité de sa mère la vigilance. Dans cette famille-là, j'ai donc été la première, le modèle et l'ombre de ma sœur Angèle. Et sans doute celle-là avait-elle autrefois souhaité ma fin. Non pas ma mort, mais que je m'effondre, qu'un grand malheur me saisisse et me brise en mille morceaux. Sans doute celle-là s'était-elle réjouie lorsque, abîmée par Francis, je tombai et plongeai dans un sommeil qui durerait. Ainsi serais-je à elle, sous son joug. Mais, je m'étais relevée, Jacques m'avait récupérée et ma sœur était partie vivre à Londres. Elle y avait vécu dix ans avant d'habiter une ferme en Australie. D'après les photos, qu'elle m'envoyait régulièrement, presque scolairement, on pouvait penser qu'elle était heureuse. Elle marchait, elle plantait. Elle aimait s'abrutir de cette solitude, si propice au travail (Angèle s'était mise à peindre), mais qu'il lui arrivait de rompre à coups de folles virées en ville. C'est là qu'elle avait rencontré Amanda. Puis il y avait eu Clarisse, Kate, Georgette, Sharon, Michelle. Je ne me rappelais plus les visages. Avec le temps, ma sœur avait cessé d'écrire. La dernière lettre datait d'il y a quatre mois ; elle était rentrée en France et avait ouvert un restaurant macrobiotique à Nice. Les affaires marchaient bien. Les clients raffolaient de ses *salades de santé*.

— Ça les rend dingues, cocotte, tu sais. J'aurais bien aimé te faire goûter, mais je n'ai rien eu le temps de préparer. Dès que je t'ai eue en ligne, j'ai senti que tu avais besoin de moi et qu'il fallait que je sois là le plus vite possible. Mais, franchement, ma cocotte, je te le répète, j'ai bien peur que tu dramatises pour rien. Tu n'en mourras pas, tu sais, si tu n'es plus une femme tout à fait normale.

— C'est donc bien ce que je disais : plus d'utérus, pas de femme. *No future !*

— Je n'ai pas dit cela, ma cocotte.

— J'ai une faveur à te demander.

Angèle quitte sa monture et se rapproche.

— Il y a quelque chose que tu dis depuis toujours, mais que je ne supporte plus d'entendre. Voilà, j'aimerais que tu

cesses de m'appeler *cocotte*. Appelle-moi Louise, Citron-nelle, Louison, ou... J'en sais rien, moi, mais pas cocotte. J'ai vraiment l'impression d'être prise pour une idiote quand tu dis ça. Ce n'est ni affectueux ni amusant.

Ma sœur tremble. Faites qu'elle pleure un bon coup et que son masque se désagrège pour de bon ! Que, pour la première fois de notre vie, nous nous parlions pour de vrai, sans craindre de nous perdre.

Mais Angèle n'a pas cet héroïsme. À l'instant où je m'ap-prête à la prendre dans mes bras, elle se dérobe. Reprend l'ascenseur, son petit train, sa vie, toutes ses salades sans bidoche ni sel, qui lui permettent de se camoufler. Ma sœur a fui, et l'évidence me glace : je ne sais plus faire rôle. Faire comme les gens disent : ne pas toucher SVP. Ne pas toucher. Faire en sorte que rien, jamais, ne vacille, qu'aucune de ces ritournelles des hommes (« La famille, c'est la famille. Les amis, c'est pour la vie ») ne se casse la figure. Je ne sais plus tricher. À d'autres ! Je rends ma carte du parti des Vivants Hypocrites.

— Bonjour, bonjour madame !

Ma voisine s'est levée. Il ne manquait plus qu'elle !

— Pouvez-vous me rendre un service ? Je ne voudrais pas vous importuner, mais il y a du monde dans mes rêves et je n'ai pas de sel. En auriez-vous par le plus grand des hasards ? Vous savez ce que c'est que de recevoir. On fait, on fait, on croit bien faire et puis non, on tombe à côté !

Derrière elle, presque dans la chambre déjà, on aperçoit les hauts de l'aide-soignante, front vaste comme un champ de pommes de terre, cheveux mous, un quelque chose d'ina-chevé dans le regard.

— Madame Janvier, le docteur ne va pas être content après vous. Vous devez vous reposer avant la visite. Vous me l'avez promis.

Indifférente, ma voisine poursuit son monologue et, à mon oreille, lâche :

— Mon nom à moi c'est Eudèse, fille cadette de Lise et de René Clotaire Sivatte. Nous vivons avec mon époux au quatrième. L'appartement avec des bougainvillées jaunes sur le balcon. Vous vous souviendrez ?

Puis elle embrasse ma joue, de sa bouche fine et pointue.

— Allons donc mamie, combien de fois faut-il vous le répéter ? Laissez en paix les malades.

— Elle ne me dérange pas.

La fille au front pomme de terre soupire. Songeant à son fiancé, parti travailler le ventre vide, elle s'inquiète ; il faut manger le matin. Le répète à Paul tous les jours. Tout à l'heure, en sortant du travail, elle passera chez Picard. C'est toujours excellent les produits Picard. Pour prendre de l'avance, elle dresse mentalement sa liste. Émincé de champignons à la crème d'ortie, vacherin pommes cassis, purée aux quatre saveurs. Ce n'est pas sérieux ; Paul pourrait faire un effort. Elle finira son menu plus tard, il y a la dame de couleur qui fait des siennes. Chaque fois, c'est pareil, elle chante, elle pleure. Personne ne vient jamais la voir. En un an, elle n'a reçu qu'une seule visite. Si ce n'est pas malheureux ! La fille patate se dit que, le jour où elle ne sera plus bonne à rien, elle s'en ira, elle. Pour ne dépendre de personne, quittera Paul, l'hôpital et Picard.

— La dame en rouge, c'est la première fois que je la vois ici. C'est votre fille ?

Je hoche la tête. L'aide-soignante sourit. Elle l'aurait parié et m'assure que nous avons les mêmes nez, bouche, cheveux, yeux. Elle ajoute que j'ai de la chance. Que c'est important la famille, parce que c'est la famille. Et que c'est sacré.

*

Le soleil est entré dans le parc. Eudèse et moi sommes assises sur un banc. Je ne pleure plus, je dois aller mieux. Dans les larges allées pavées, des patients font leurs longueurs, respirent, les joues gonflées comme des pommes. J'aime ce vent sur mon visage, cette vie qui malgré nous dure, nous rappelle que nous avons survécu.

Plus une seule croix sur les murs, plus de vase pour y noyer les fleurs ; je ne reçois plus personne. Je m'occupe. Eudèse m'a montré comment m'y prendre pour faire des bêtes avec mes doigts. Le gros pouce pour la gueule, l'index et le majeur pour les cornes, la crête ou la trompe. Je me débrouille ; certaines nuits, on dirait des vraies. Les journées passent plus vite depuis que nous nous racontons nos petites histoires. En vérité, c'est l'hiver qui s'installe.

Dans le hall, lieu d'espoirs comme de pleurs des familles, se répand une odeur de tabac. Certains visiteurs sentent la gitane, comme papa, avant ses radios. Sourds au malheur des grands, des enfants en cagoule jouent à 1, 2, 3 Soleil, bousculent les chaises, circulent entre les tables, rappelés mollement à l'ordre par quelques parents mornes. Car il n'y a rien d'autre à faire ici que de tourner en rond, aller d'un étage à l'autre, des toilettes au distributeur de boissons chaudes. Et vice versa.

Eudèse renifle et mouche fort son nez.

— La neige de France, elle ne m'aime pas. Une fois, j'ai bien manqué y rester. À cause du froid, tellement froid que j'en avais les pieds gelés. C'était peu de temps après la disparition de Farida. Dans toute cette blancheur, je peux te dire que ça faisait tout drôle de voir un corps avec des pieds coloriés. J'ai dû tomber dans les pommes parce que je ne me souviens plus de rien. Quand j'ai repris connaissance, il y avait du monde autour de moi. Cette femme qui disait que personne n'avait le droit de nous traiter comme cela. Que nous n'étions pas des bêtes quand même. Elle était gentille la dame, elle était jolie aussi, j'aimais bien la voir. Montre-moi ta main ! C'est Farida qui nous a appris. C'est drôle, je ne trouve pas ta ligne de cœur. Ça par exemple ! Montre-moi la gauche !

Irritée, je récupère ma main, la range entre mes seins, m'étonne en cet instant précis de leur volume. Maman aussi avait gonflé.

— Je n'ai jamais vu une ligne de cœur aussi nette que celle de Farida, une vraie autoroute. C'est pour le reste qu'elle n'avait pas de chance.

— Je veux partir.

En arrivant en métropole, Eudèse, aussi, avait voulu s'en aller. Elle en rêvait la nuit, dans cette chambre aménagée sous les toits que des Blancs lui avaient assignée. C'étaient des riches de Marseille qui, pour s'occuper de leur propriété, avaient eu l'idée de faire venir une fille des Îles.

— Je veux m'en aller d'ici.

— Je comprends, c'est toujours difficile, au début, un hôpital.

Et puis, au fil du temps, on se fait une raison sans doute parce que les gens vous oublient vite. C'est d'abord un dimanche qu'ils manquent à l'appel. Un deuxième, un autre encore, jusqu'à ce qu'ils finissent par ne plus jamais passer. Juste un coup de fil, pour prendre rapidement de vos nouvelles et s'excuser de n'avoir pas pu venir. Un jour, ils vous oublient tout à fait, les gens.

L'heure du souper a sonné et c'est d'un petit pas docile que nous quittons le parc. Sous le couvercle, dans l'assiette, fume une vague omelette accolée à deux feuilles de laitue. Soumise à un régime spécial, Eudèse n'a droit qu'à une bouillie verte, liquide, mais qu'elle peine à avaler. La regarder faire me donne des remords ; ai-je déjà pris le temps de la connaître mieux, savoir, dans la liste infinie des raisons qu'a un homme de souffrir, ce qui, elle, l'a clouée ici ?

Ce n'est pourtant pas dans ma nature de ne pas me soucier des autres. C'est même, en règle générale, ce que je sais faire de mieux. Prenez mes fils. Qui d'autre que moi les a aimés avec autant d'assiduité ? Les a supportés, et alors même qu'il me coûtait souvent de le faire, qu'au plus profond de mon cœur je savais qu'ils se trompaient ? Je peux même les compter ces fois où, fermant ma bouche, je restais à ma place pour leur donner raison. Non pas que j'aie la science infuse, je ne me permettrais pas d'affirmer cela, mais il est des drames qui se flairent de loin, des complications qu'on peut éviter, avec l'expérience et un peu de jugeote. Pierrick en était-il à ce point dépourvu pour tomber amoureux de cette Marion ? S'enticher d'elle assez pour tout lui proposer, des fiançailles, la bague au doigt et le reste ? À vingt-cinq ans, un homme est un enfant. Il lui faut une personne pour le guider, quelqu'un de sûr qui, pour l'avoir soigné et nourri, ne prendra jamais le pouvoir sur lui.

C'est ce que, dans la cuisine, je m'évertuais à dire à mon fils. Je parlais vite et bas parce que Marion était dans la salle, goûtait du bout des lèvres à ce mets que j'avais bien mis la journée à préparer. Mais ce n'était tout de même pas mon affaire si elle préférait la viande au poisson. Elle aurait dû anticiper, ne pas me mettre, moi mère, devant le fait accompli, dans l'incapacité, humiliante, de la satisfaire. Ayant toujours apprécié les femmes d'esprit (et c'est ce que je m'étais tuée toute ma vie à répéter à mes garçons), je ne comprenais décidément pas le choix de Marion. L'idée qu'on puisse voir en cette fille, d'une beauté brute mais sans idées, une incarnation tangible de l'être aimé m'était tout bonnement intolérable. Le déjeuner s'était achevé vaille que vaille, avec un Jacques particulièrement disert, séduit par sa presque-bru, et qui, pour la distraire, remontait le temps. Évoquait ses années de vaches maigres où, une valise de vingt-quatre kilos à la main, il lui avait fallu faire du porte-à-porte. Le pire, c'étaient les particuliers, lorsque d'immeuble en immeuble, d'étage en étage, ils vous resservaient la même phrase et vous présentaient le même visage. Des gens qui ne vous regardaient jamais dans les yeux de peur que vous ne leur voliez quelque chose, que vous ne découvriez, derrière cette supériorité qu'ils éprouvaient à être sollicités, les petitesses et les rancunes de toute une vie.

Occupée à remplir les coupes de glace, j'observais du coin de l'œil mon fils, surveillais ce moment, où, détrôné par son père, négligé par Marion, il haïrait pour de bon mon mari et contre-attaquerait. Alors, je me garderais bien de m'en mêler. Laissant mes hommes se dévorer entre eux, je profiterais du désarroi de l'intruse pour lui proposer une alliance. «Voulez-vous bien m'aider à débarrasser?» lui demanderais-je avec humilité, la voix enrouée afin qu'elle s'apitoie et prenne toute la mesure du drame qui était en train de se jouer. Les femmes de son engeance sont paresseuses. Les problèmes les font fuir, les histoires de famille les ennuient. La vaisselle lavée, elle finirait donc par se retirer et ne rappellerait plus jamais mon fils.

On passa au digestif, et Pierrick conserva son sang-froid. Enfermé dans son bonheur, il ne voyait ni n'entendait son père. C'était un homme, désormais, un jeune homme debout dans son pantalon. Et il avait suffi d'une gamine pour que je le perde.

*

Quelque chose cloche en bas. Des masses. Deux taches. La première n'est pas plus volumineuse qu'une noix. La seconde... Difficile à dire, il faudrait refaire une échographie pour y voir plus clair. Examinant ses clichés, Superman a froncé les sourcils. Puis joue au médecin, en débitant toutes sortes de formules magiques.

— Vous avez des soucis docteur?

Il sourit jaune.

— Avant d'être vieille, j'ai failli faire assistante sociale. On m'avait même baptisée Joëlle au journal. Joëlle Mazard, vous connaissez?

— Vous vous êtes décidée pour l'opération?

— Je ferai comme vous voulez.

— C'est votre corps, Louise, c'est surtout à vous de décider.

— J'ignorais que vous étiez féministe.

Tandis que Superman consulte mon dossier, je me surprends à fermer les yeux et à croiser les doigts fort. Et si ce corps de papier n'était pas mien? S'il s'agissait tout bonnement d'une erreur? *Un oiseau chante.* Peut-être serai-je totalement guérie lorsque je me réveillerai, sans tache, ni ride, ni rien du tout. Un oiseau chante dehors et son refrain me ramène cruellement à la vie.

— Va pour le 5, m'entends-je murmurer, avant d'apprendre que nous sommes dimanche.

Dimanche, 13 heures pile, l'heure où le Carrefour d'Alger se vide, et nous accueillait. C'est moi qui avais eu l'idée de ces grandes causeries mensuelles. Il me plaisait d'avoir encore des causes à défendre, de me croire dans le coup, malgré l'âge qui montait. Vêtue sans recherche ni élégance particulière, je pensais être au-dessus du lot, inattaquable, en somme, puisque je ne recourais pas aux armes traditionnelles des femmes. Et sans doute Jacques fut-il complice qui, prétendant n'être pas sensible à la beauté, ne m'obligea jamais à *tenir le rang*. Tolérant (mais jusqu'à quel point?), il laissa la nature faire sans rien toucher à ce corps qui, à mon insu, mais sous ses yeux, se déformait. Qu'est-il donc arrivé, Jacques, pour que tu oublies d'abuser de tes droits? Pour qu'en mauvais mari que tu es, tu la laisses vivre, cette femme laide et vieille qui s'était mise à pousser en moi? Ne l'aimais-tu, alors, plus assez pour la remettre sur le droit chemin, lui faire admettre cette si tragique évidence qu'une femme, c'est fait pour faire beau et plaire aux hommes?

Le Carrefour d'Alger rit, et c'est moi qui préside. Je trône, oui, et comme d'habitude, manie le verbe avec une certaine adresse. Sur mes tee-shirts, figurent parfois les noms de tous ces héros en qui j'ai cru un jour. Cela va de Mao à Mandela, de Mitterrand à Aristide. Si certaines têtes sont tombées, ma foi en un monde meilleur demeure inébranlable. Je suis une sentimentale. Les hommes m'intéressent moins que leurs idées. C'est la pause, le patron du Carrefour vient prendre une nouvelle commande : des bières pour tous, et bien que je n'en apprécie guère l'amertume. À l'autre bout de la table, mon époux m'adresse un sourire admiratif. Est-il sincèrement fier de moi ou me considère-t-il comme une bête de foire ?

La conversation reprend, mais il n'est plus personne pour m'entendre. Aucun de mes chers amis mes vieux camarades pour trinquer avec moi. Ça discute, ça plaisante, ça boit. C'est dimanche, partout en France, sauf là.

Allongée sur mon lit, j'attends que tombe la nuit pour voir passer les moutons. C'est fait, je crois ; je suis en train de rêver. Je suis une boule de billard. Je roule vite et ne respecte plus aucune priorité. Si les radios de Superman disent vrai, je m'apprête à atteindre le cerveau et à pulvériser tous mes souvenirs. La nuit où mes cuisses disaient *oui*. Le jour où je suis morte. Cette fois où ma mère m'a appris à danser parce que nous avions tout l'appartement pour nous toutes seules. Elle avait ceint, de son châle, ses hanches et on aurait dit qu'elle volait, on aurait dit qu'elle ne pesait plus rien lorsque je l'ai prise dans mes bras. Nous dansons et c'est un effort de ne pas la broyer. Puis nous comptons les temps, avec ce sérieux des femmes à l'ouvrage, frissonnons avant de tourner. C'est une rumba. Un cha-cha-cha, rectifie maman du bout des lèvres, de crainte de perdre le rythme. Un, deux, trois, *chachacha*. Et quatre, et cinq, et six, *chachacha*. Et qu'importe si sa religion lui interdit toute manifestation du plaisir.

— Concentre-toi sans en donner l'air, ajoute-t-elle. Il n'est rien de plus vulgaire qu'une bouche pincée dans un corps qui danse.

Sous la jupe, je sens l'odeur des femmes, celle-là même que papa et Dieu détestent.

Je marierais ma mère et l'emmènerais au bal tous les samedis soir si j'étais un homme !

— Mes pieds, Citronnelle ! Fais un peu attention ! Ce n'est pas la peine de courir, je t'ai déjà dit de te laisser faire par la musique.

Comme cela lui va bien de dire cela, elle qui toute sa sainte de vie a serré les fesses, n'a jamais su saisir sa chance, ni au jeu, ni en amour, ni en quoi que ce soit. Jeanne maman tousse. Sa santé n'a jamais été bonne. On dit qu'elle a de l'asthme et que cet asthme, lorsqu'elle est seule, lui arrache des larmes. L'a-t-elle aussi ce cancer qui tache ?

Le châle de ma mère est tombé, son chignon a sauté et ses cheveux ondoient. Et *cha*, et *cha*, et *cha*, les bras levés, Jeanne n'appartient plus à personne. Et les violons de ralentir pour laisser entrer la voix. *Besame mucho*, comme si cette nuit était la dernière, et que papa n'avait jamais ouvert la porte.

— Veux-tu bien arrêter tout ce cirque ! Tu es devenue folle ou quoi ?

Papa-cri traverse la pièce, quitte la pièce, revient dans la pièce, secoue le petit corps de sa femme, comme un homme qui a peur, un père qui n'a pas su voir grandir ses filles. Confuse, ma mère m'ordonne de rentrer dans ma chambre. Je l'entends qui remet de l'ordre, plie en quatre son châle, je l'écoute s'excuser et je me réveille en sueur.

*

J'ai la gorge sèche ce matin et la tête lourde des nuits courtes. Sous les draps, acquis par la collectivité, mon corps pue ; une véritable infection. Et dire que cela fait déjà un quart d'heure que j'appelle l'infirmière ! Qu'au train où vont les choses, je vais finir par la bouffer ma merde. J'ai fait sur moi, soit, et alors ? Rien de surprenant avec toute cette salade qu'ils nous forcent à avaler. Comme toujours dans ces cas-là, il n'y a personne sur qui compter. Pas même Eudèse, partie je ne sais où, et bien qu'elle m'ait promis de ne pas me laisser tomber. Enfin, la porte s'ouvre. La fille au trop grand front apparaît.

— Calmez-vous, madame Singer.

— Se-rin ! C'est Serin mon nom !

— Calmez-vous, je vous prie. Je vais vous changer.

— Ah non alors, pas vous ! Je refuse que vous posiez la main sur moi. Je m'y oppose catégoriquement.

— Soyez raisonnable.

— Je vous prie de quitter ma chambre immédiatement !

— Je vais appeler le médecin.

— Rien à faire de vos menaces ! Je ne veux pas que vous me touchiez, un point c'est tout.

— Comme vous voulez, mais je vous préviens que personne d'autre que moi n'est payé pour le faire. Donc, de deux choses l'une : ou vous arrêtez vos caprices, ou vous passez toute la journée dans cet état-là. C'est à vous de voir.

Je ne céderai pas, quoi qu'il m'en coûte, malgré l'odeur — Seigneur, quelle odeur ! — qui, de ma chair, se dégage et me donne des haut-le-cœur. Par quel mystère un corps se fait pourriture ? Suis-je en train de moisir ? Suis-je vermine, déjà ?

En cette fange, qui, comme un cercueil m'isole, je vois

rappliquer les grosses mouches vertes. Mouches à cadavres, qui rasent mon corps, mon sexe. Et dire qu'elles viendront toutes à mon enterrement! Plus aimantes que mes fils, s'inviteront, jusqu'à ce que le couvercle glisse et que la main de Dieu jette la première poignée de terre. Celui-là, j'espère bien le rencontrer tôt ou tard, depuis le temps que tout le monde m'en parle! Si mes calculs sont exacts, Il devrait me pardonner. Cinq fois seulement, j'ai péché. Trois, si l'on considère que c'est l'acte qui fait l'homme. *Il suffit de regretter très fort une mauvaise action pour qu'aussitôt Il l'annule.* Paroles de mère, attablée devant son Christ et levant son verre aux cent sept vertus de l'homme.

Maman dit comme papa, et pense, même après sa mort, qu'une fille est plus passible de pécher qu'un garçon. Si elle avait pu choisir, elle n'aurait d'ailleurs pas eu Angèle. Elle aurait accouché d'un mâle, et bien que ma sœur n'ait toujours aimé que les femmes.

Je ne cède pas et, dans les bas-fonds où mon obstination m'entraîne, je bute sur le corps de grand-mère. Ce corps pour la mort, mais qui malgré tout tenait, qu'il fallait étreindre chaque dimanche, après la messe. Dans cette servilité qui était notre jeunesse, ainsi baisions-nous les joues de la vieille. Moi d'abord, Angèle, après, parce que j'étais la préférée. Puis, supporter ses mains qui caressent mes cheveux, tripotent mes joues, après s'être gratté la couenne. Répondre « oui » à maman qui, pour la énième fois, au moins, nous demande si nous sommes contentes d'être chez notre mamie. Bien plus que de voir l'aïeule, c'est de la sentir qui m'écœure et me rappelle tout ce linge que ma mère, après usage, entasse sous les matelas. *Car il ne faut rien jeter.*

Tout garder, donc, même si nos lits donnent des cauchemars, si, sous le poids du temps qui passe, nos linges sentent la charogne et se transforment en cartons.

— Citronnelle, Citronnelle !

Dans l'arrière-cuisine, où elle a passé les deux tiers de son existence, grand-mère est étendue sur le sol. Seule la bouche s'agite encore, qui, dans un hurlement de bête, m'ordonne d'aller chercher de l'aide. Tremblante, je recule et, feignant de partir, demeure sur le seuil à l'observer. Ses quatre pattes en l'air, on dirait un gros scarabée, la maman de ma mère, une blatte qui mériterait un bon coup de balai. Et si je la laissais dans ses excréments (elle vient de faire sur elle) ? Il suffira de dire que je n'ai rien entendu, que je ne me serais jamais douté ; les vieux sont si résistants. Sait-elle ce qui l'attend lorsque, ne croyant plus à l'homme depuis les deux guerres, elle se signe et s'adresse au Ciel ? Revoit-elle, comme dans les films et comme l'assure la légende, tout ce qu'elle a vécu, pas vécu, supporté, aimé ? Mais on vient. Maman longe le poulailler, et, entendant crier, vole au secours de l'ancienne.

Je n'ai jamais autant prié que ce soir-là. Agenouillée devant le Christ, le visage baigné de larmes, je l'ai imploré de redescendre parmi nous afin de s'occuper personnellement de Jeanne. Qu'il me la prenne, qu'il la tue avant que son corps ne finisse, lui aussi, par ressembler à du carton. Une maman doit rester belle tout le temps. L'idée que ma chère mère puisse un jour ne plus l'être m'était insupportable.

J'ai refusé de voir le corps quand elle est morte et les gens se sont mis à parler. Ils ont dit que j'étais une mauvaise fille, et qu'un jour ou l'autre je le paierais. Puis, ils se sont tus, et m'ont laissée seule avec leur méchanceté et ma peine. C'était l'été, je m'en souviens. Les fleurs fanaient au pied du cercueil. Dedans, il paraît que tout dégoulinait, et que les fards, peints sur le visage, ne tiendraient pas très longtemps. C'est Angèle qui s'était occupée de tous ces détails-là.

Bien des fois, j'ai ri aux éclats en me représentant cette ultime séance de maquillage. Ri de nous hommes qui, nous sachant révolus — nous rêvant immortels, nous échinons à dompter la mort.

Dans une ville côtière de je ne sais plus quel pays, il y a la mer qui avance. Chaque année, elle gagne du terrain, avale les maisons et chasse les habitants. Pleins de courage et de bonne volonté, ceux-là, à chaque fois, se relèvent. Ils font construire des barrages, de plus en plus solides, de plus en plus modernes ; en vain, la mer revient et recommence. Combien de barrages, de sueurs, combien d'heures me reste-t-il avant de céder ?

*

20 heures passées, l'air dans la chambre est irrespirable. C'est encore moi, mais qu'importe ; qui oserait m'expulser en pleine nuit d'hiver ?

— Vous avez gagné Louise ! Demain, c'est votre jour de fête, aucune exploration n'est prévue. La météo a annoncé du soleil, vous pourriez peut-être en profiter pour prendre l'air et aller voir votre famille, par exemple. Fin des vacances : le soir même, à 18 heures. Ça marche ?

— Merci.

— Merci qui ?

— Merci Superman.

J'attends que la porte de la chambre se referme pour

supplier Eudèse de m'accompagner. Passer la journée à faire les grands magasins. Arpenter les rayons, d'un pas sûr, d'un pas de professionnelle. Hésiter entre ceci et cela. Opter pour cette robe qu'on a toujours rêvé de posséder. Que l'on passe, sous le regard enjoué d'une vendeuse payée au chiffre, et que l'on réglera en trois fois. Faire la femme, faire comme n'importe quelle bonne femme : remplir son corps, son temps et son caddie.

Mais Eudèse a tourné la tête. Ces affaires-là ne la concernent plus. À présent, elle fait le tri et se rappeler est devenu une priorité.

— On n'a pas toujours la vie qu'on veut, dit-elle. Ce sont plutôt les fleurs qui, au début, me manquaient. J'ai toujours adoré les beaux bouquets. Une fois seulement, on m'en a offert un, un homme de Nice que j'aurais pu apprendre à aimer, mais les filles m'ont dit que c'était un salaud, du genre à te couillonner, pas quelqu'un qui reste. Bien sûr, toi, tu ne sais pas ce que c'est que de ne pas pouvoir faire confiance. Tu as eu une vie tranquille, bien comme il faut. C'est ton mari, le monsieur qui ne vient plus ?

— Nous sommes séparés.

— Les hommes ont peur de la maladie.

— Je ne suis pas malade.

— C'est curieux, il m'avait fait bonne impression.

— Les apparences sont trompeuses. Toi, par exemple, tu n'es pas sourde.

— Ça dépend des jours et avec qui. Mais puisque tu sais tout maintenant, je peux te demander un service ?

Eudèse a soulevé son matelas et, dans un grand sérieux, prend dans ses bras sa boîte à musique.

— Quand tu sortiras, je voudrais que tu la prennes avec

toi. Je deviens trop vieille pour m'en occuper, et c'est ce que j'ai de plus cher au monde.

— Je ne suis pas certaine de réussir. Je n'ai jamais été très manuelle.

— Regarde bien, je vais te montrer.

Tenant maladroitement le présent entre mes mains, je suis les recommandations d'Eudèse et actionne. Une fois, deux fois... La danseuse chancelle. Trois, quatre ; la ballerine s'applique et dodeline de la tête en voyant s'illuminer nos visages de vieilles. Quelques tours encore puis le bal est ouvert, la petite dame en tutu vole. Ses grains de cheveux tombant sur ses épaules, Eudèse l'accompagne et se met à chanter. C'est cette chanson-là qu'elle fredonnait lorsque nous nous sommes rencontrées. Je pleure parce que je suis en train de réaliser que cela fait déjà deux mois. Depuis deux mois, donc, j'occupe cette chambre, raconte ma vie à cette femme, si vieille, et qui me ressemble. *Tes eaux rougiront.* Plus que quelques semaines pour voir s'accomplir la prophétie. Bientôt, nous y serons. Les cerisiers blanchiront, le grand soleil reviendra, annonçant l'arrivée des mouches vertes. Derrière la grille de l'hôpital, peut-être, alors, les verrai-je passer pour la dernière fois, ces vivants hypocrites, allant d'un pas pressé, vers l'été.

Comme avant, la mémoire d'Eudèse flanche. Force, flanche jusqu'à ce que sur le mur se dessine son île. Des aurores vermillon, des monts terre de Sienne, et aussi cet orchestre fantôme qui bat du tambour et nous fait danser. Comme autrefois, comme la nuit dernière avec ma mère, j'enlace le corps qui s'offre à moi. Comme la peau est douce sous les rides ! Eudèse a dû être belle, elle a dû. Mais que dira la stèle ? *Ci-gît Gisèle Janvier. Femme de caractère, sourde a priori, seule soi-disant, aspirante chanteuse et ex-pute antillaise.*

Dans l'ivresse de notre danse, Eudèse laisse tomber sa pudeur. Son cœur s'ouvre en grand pour rendre le jus sale de toute une vie. Tu parles d'une vie! Un vrai marathon. Courir, toujours courir, après l'argent, les hommes, le temps. Après la pluie, parce que le corps a chaud, le chaud, parce que le ciel est gris. Courir après l'idée que l'on se fait de soi, après la personne que l'on jurerait être, mais, qui, au bout du compte, ne nous ressemble pas.

— Toujours j'ai fait cela. Alors, à présent que je ne suis plus toute jeune, j'ai bien droit à un peu de repos.

La nuit dure. La lune reste car elle n'a pas sommeil. À moins d'un orage, Dieu saura faire le nécessaire : veiller sur nous *pauvres pécheurs.*

*

Je n'ai pas senti à quel moment elle était partie. À quelle heure, elle m'avait laissée seule, dans cette chambre avec vue sur parc et guirlandes au plafond. Elle n'y était plus, c'est tout ce dont je me souviens lorsque j'ai ouvert les yeux. Je me rappelle aussi que la pièce sentait fort. Ni le sang ni les médicaments, mais le carton, cette odeur que je connaissais par cœur. Avant que le jour n'entre tout à fait, je me suis levée et l'ai cherchée. Partout, là où pissent les hommes et où l'on panse la mort, où les filles qui soignent rêvent de gratins et d'amours surgelés. Partout. Dans les couloirs, les chambres qui ferment, les ascenseurs qui montent, dans les cuisines, les blocs opératoires, le parc. Dans les bureaux, les placards, la poubelle, sur le toit, dans la gouttière, partout.

Et puis je suis rentrée. Je me suis allongée, et j'ai fabriqué des ombres. Sur notre mur, un éléphant s'est mis à marcher. Il allait, barrissant, vers sa mort.

— Il a fallu qu'elle y passe pour que toute sa famille débarque.

L'œil rouge d'avoir pleuré, la fille Picard parfume la chambre, comme pour chasser le mauvais œil. C'est la première morte de l'année, nous sommes en janvier, pense l'aide-soignante qui croit en la loi des séries.

Mais *the show must go on*, le lit de la morte vient d'être refait ; on attend un cancer du côlon dès demain.

— On y passera tous, murmure-t-elle dans un dernier sanglot.

Et cette réflexion me paraît dérisoire.

— Au fait, je voulais savoir. Ça n'serait pas vous par hasard qui auriez récupéré sa boîte ?

— Quelle boîte ?

— Mais si, vous savez bien, celle qu'elle cachait sous son matelas. Elle l'avait quand elle est rentrée à l'hôpital. J'ai d'ailleurs jamais su si cette vieille chose marchait.

— Non, vraiment, je regrette. Je ne vois pas.

— Elle a dû la jeter à la poubelle.

— Sans doute.

— Sûrement. Bon, bien, c'est pas tout, mais, nous, va falloir songer à y aller. Vous avez rendez-vous dans le hall dans cinq minutes.

J'ai attendu d'être seule pour faire mon sac. Y ai glissé la boîte d'Eudèse ainsi que tout ce qui me passait par la tête.

La météo dit toujours faux et je n'aime pas être prise au dépourvu. Dans le hall, où tous les jours, à la même heure, chahutaient des enfants, une femme est venue vers moi et m'a serré la main. Elle s'appelait Sophie, ou quelque chose d'aussi banal que cela. Répétait, comme si j'avais les oreilles bouchées, qu'il était bon de sortir, que prendre l'air faisait du bien, des fois.

— Vous connaissez Paris ?

Mais à qui pensait-elle avoir affaire ? Ignorait-elle que je connaissais cette ville par cœur ? J'en avais déjà fait tout le tour, avant même que cette idiote ne naisse. Tandis que nous passons la porte, j'entends des pas derrière moi et une voix qui zézaye :

— Excusez-moi de vous déranger, je... Ma mère est décédée hier nuit, vous partagiez sa chambre, on m'a dit. Eh bien voilà, je voulais savoir si elle vous avait confié quelque chose avant de... Ceux qui meurent partent généralement les mains vides.

C'est donc cela, la famille de la morte ; une grande perche au poil de squaw et au cheveu sur la langue.

— Je veux dire : elle a peut-être laissé quelque chose derrière elle ?

L'autre fille nous a rejointes, et traîne, tout comme sa cadette, ce regard de fièvre qui dit l'envie. Faites à l'idée qu'une mère est quelqu'un d'honnête, de propre et de soucieux, elles songent à tous ces biens dont elles hériteront, à ce magot, durement amassé par la vieille, à partager en trois parts égales. Car tonton est là lui aussi, son téléphone portable vissé à l'oreille, une mallette d'hommes d'affaires vide à la main. M'ayant saluée d'un simple mouvement de tête, il reprend la pose.

— Votre mère aimait beaucoup danser.

C'est égal, répondent les trois visages. *Au fait!* suggère leur silence tandis qu'une envie de blesser me prend et m'incite à mentir. Au nom de tous les vieux abandonnés comme des chiens, je m'en vais leur conter l'insoutenable. L'histoire d'une mère qui, même morte, continuera à les maudire, dans sa tombe, jure de leur faire payer leur ingratitude. *Bande de traîtres, hyènes, chacals!* hurlait-elle, sur son lit de mort, avant de se promettre de ne rien leur léguer. L'aînée rougit et, en sanglotant, s'explique. Tout est allé si vite, l'enfance, les règles, les hommes, les jobs, comment aurait-elle pu apprendre à connaître Eudèse?

— Vous me comprenez n'est-ce pas?

— Saviez-vous que votre mère était sourde?

Et puis je leur ai tourné le dos. J'ai pris Sophie par la main et me suis engagée vers la sortie. Dans le parc bien gardé, un papy pleurnichait. Il rouspétait les pigeons qu'il soupçonnait de lui manger le cœur. Sur un banc, près du grand portail vert, il y avait aussi cette femme pleine de sparadrap. Un accident de la route. Elle ne s'en tirerait pas.

À Sophie-de-compagnie qui me proposait une longue balade près du canal Saint-Martin, j'ai répondu que je préférais m'asseoir. M'asseoir devant n'importe quoi, un bus qui passe, un gosse et sa marelle, une coupe de glace, et bien qu'il ne fît déjà plus soleil. J'avais faim de vanille, avec une tonne de chantilly et une ombrelle. Sophie a accepté, mais m'a fait promettre de ne le dire à personne. Elle a ajouté que c'était notre secret et que cette journée serait vraiment exceptionnelle. Peut-être, disait-elle, providentielle.

En longeant la façade de l'immeuble, où mon mari et moi avions vécu tant d'années, je n'ai pas osé entrer et ai levé la tête. Ça brillait au quatrième. On avait oublié d'éteindre. Pas vraiment le genre de Jacques, d'ordinaire si économe. Ce n'était pas non plus dans sa coutume d'inviter ses fils à déjeuner, de les nourrir de cette viande rare, mais si compliquée à cuisiner. Vu du trottoir, on aurait dit une mère, Jacques, dévouée à ses bébés, sachant parfaitement ce qu'il leur fallait. La peau refaite par ce soleil qui ne se lève qu'à la montagne, il présentait encore bien et s'y entendait pour faire le beau. On mit en route le café, et la scène fut parfaite : Blandine débarrassa l'assiette de son mari. Grégoire songea à sa maîtresse. Gabriel tira la queue du chat. Gustave miaula pour la première fois de sa vie de siamois.

Ça s'est mis à bouger, dans l'appartement d'à côté. Mme Verdier se meut et je lui fais signe. Le code de la porte a changé, veut-elle bien me laisser entrer ? Contrairement à ce qu'elle pourrait imaginer, je ne suis pas étrangère. J'ai vécu plus de quinze ans dans cet immeuble. J'ai d'ailleurs toujours payé mes charges, et assiste aux réunions de copropriété chaque trois mois. Si elle en doute, elle n'a qu'à vérifier le nom sur la boîte aux lettres, « Louise et Jacques Singer », c'est marqué. *Avant*, jadis, autrefois, ou comme il lui plaira, j'avais pris soin d'ajouter sur la boîte *Premier Sexe*, le nom du journal qui m'employait. Mme Verdier recule au moment même où Jacques vient se poster à la fenêtre. Cette innocence, toute cette légèreté qui imprègne ses gestes me fascinent. A-t-il tout oublié ?

— Vous connaissez cet homme ?

— Je croyais le connaître, mais je me suis trompée. Les vieux se ressemblent tous.

Alors, j'ai supplié Sophie de me conduire jusqu'à Pierrick. Cinq minutes, pas davantage ; mon fils est un homme discret, je ne voudrais pas l'importuner. Dans la grande banque où il travaille depuis dix ans, je me suis présentée aux guichets et ai demandé après lui. Il a sursauté en me voyant et a paru contrarié. Il m'a très peu parlé. Il parlait bas et vite afin qu'aucun de ses collègues ne comprît qui j'étais. Prenant mon courage à deux mains, j'ai commencé par lui dire mon amour et me suis accrochée aux barreaux du guichet pour lui demander de m'excuser. Pardon pour ce que je n'avais pas su faire. Pardon pour le grand tourment où nous l'avions plongé. Il ne m'a pas écoutée jusqu'au bout ; ce n'était ni le lieu ni le moment. Je devais le laisser à présent. Il m'appellerait pour prendre rendez-vous. Chancelante, je l'ai regardé s'éloigner. Même démarche, la même certitude qu'il ne se retournerait plus.

Puis j'ai marché comme un automate vers Sophie.

— Vous souhaitez faire pipi ?

— Non, mais je veux bien ma glace à présent.

L'idée de prendre la fuite est venue après, quand, demeurée seule sur la cuvette W-C, j'ai senti mes jambes trembler, courir loin. Là où il me serait permis d'usurper toutes les identités. Ni Louise, ni Singer, ni Serin. Ni cancéreuse, ni mère, ni rien. Quelqu'un de neuf, peut-être.

— **V**ous la prenez jusqu'à dimanche?

Je fais oui pour éviter les questions. Baisse la tête et paie cash avant de longer le couloir qui conduit à l'étage. Aucune chance de croiser un client; l'hôtel est vétuste, l'ascenseur en panne, l'escalier glisse et grimpe sec.

Des nuits que je dors dans ce quartier, sans certitude, sans garantie, l'endroit idéal pour effacer mes traces. Dans ma tête où tout doit disparaître, je m'efforce de penser que j'ai toujours vécu ainsi, que, depuis toujours, je vais de chambre en chambre, suis de passage partout et n'ai d'ami nulle part. À Paris, c'est facile d'y croire. Chaque jour, il y a aussi cette peau que je rêve de quitter, ce corps à suspendre la nuit à un cintre dans l'espoir aberrant que les mites s'en régalent. Les semaines passent et le corps s'entête, sans doute parce qu'il n'a plus de goût.

Je suis à la merci du mal. Souvent, je saigne. Parfois, il y a des taches sombres sur le drap, qu'il m'arrive de ne pas voir ou d'oublier: dans un hôtel, les chambres sont faites tous les jours. Au début, lorsque mes eaux se sont mises à rougir, j'admets avoir pris peur. J'ai repensé à l'hôpital, à Superman, au dernier étage, j'ai souhaité être là-haut, oui, qu'ils fassent de moi ce qu'ils voudraient mais qu'ils me sauvent! Puis, le cancer est parti. Aujourd'hui, je suis guérie. Ça saigne encore, mais je n'ai plus mal.

C'est drôle la vie. En m'évadant de l'hôpital, j'avais eu la faiblesse de croire que je reconquerrais les miens. Que, relayé par la presse, sublimé, mon drame leur péterait à la gueule, leur deviendrait familier. Si l'opinion publique *compatissait*, ne seraient-ils pas, eux aussi, eux surtout, contraints d'en faire autant ? Rassemblés au 6 de la rue du Loing, je les imaginais toucher, sans appétit, à leur assiette, sursauter, regarder vers la porte d'entrée, parce qu'un homme, père comme fils, ne se fera jamais à l'idée qu'une mère puisse ne plus vouloir vivre dans son foyer, préférer disparaître plutôt que d'y rentrer. Le repas expédié, ma famille reprenait sa place devant la télé. Le journal de 13 heures déballait ses titres ; les affaires de cœur du Président, la libération des otages, les JO, puis cette information : « L'ancienne militante et chef de rubrique du magazine *Premier Sexe* n'a toujours pas été retrouvée. » Voilà ce qu'on disait de moi, avant que affaiblie, vieillie, la main de Jacques n'éteigne le poste.

Mais les jours s'étaient écoulés et je n'avais eu droit qu'à quelques lignes dans un journal de quartier, un entrefilet sans photo où il n'avait été question que de mon âge. N'était-ce pas là mon seul signe particulier ?

Au bout du couloir, la porte de la chambre d'hôtel résiste, sans doute parce que la pièce est demeurée trop longtemps inoccupée. J'appelle, on vient, une blonde platine monte.

— C'est comme pour tout. Ces petites clefs-là, il faut savoir les prendre, les rentrer ni trop fort ni trop doucement. Il faut trouver le bon dosage et puis, après, vous tirez la porte vers vous.

Je m'exécute.

— Plus fort, allez-y ! Plus fort.

Je capitule et la regarde faire.

— Voilà, il faut tirer comme ça. C'est vrai que c'est sportif. J'ai déjà dit à ma mère que c'était pas pratique. Surtout pour les vieux.

Personnes âgées, s'empresse-t-elle de corriger, tout en hésitant entre un *madame* et un mot introuvable dans le dictionnaire. Qu'elle me donne du *ma petite dame,* si le cœur lui en dit. Je l'y autorise et la remercie pour la porte.

— C'est tout naturel, on est là pour cela. Et puis, quand on est seule comme vous, dans une grande ville comme Paris, on ne sait jamais ce qui peut arriver. Vous avez des petits-enfants ? Des arrière-petits-enfants ?

— Non.

— Vous devez être une femme rudement courageuse, ce n'est pas facile de finir sa vie sans personne. Mais je vous embête avec mes questions. Appelez-moi, si vous avez besoin de quoi que ce soit. Demandez Cardamone. Comme l'épice, mais avec un *n.*

— Merci, ça ira. J'ai de la famille par ici. J'appellerai demain. Demain, c'est dimanche n'est-ce pas ? Les maisons sont pleines de gens, le dimanche.

Elle sourit car, dans le fond, s'en contrefiche. Se moque pas mal de cette *petite dame* fagotée comme je ne sais quoi et coiffée d'un chapeau aux *vachement* larges rebords. Sans doute le porte-t-elle pour dissimuler son visage ? Elles font toujours cela, les femmes, lorsqu'elles vieillissent.

— Comme vous voudrez, se contente-t-elle donc d'ajouter avant de disparaître.

Dans cette chambre qui ne donne sur rien et fait tout (douche, bureau, cuisine, pissotière), je m'assois sur le lit et croise les jambes. À me voir ainsi installée, on pourrait supposer qu'un homme va entrer, et commander, comme *avant*, du champagne. Cet homme m'aimerait assez pour me toucher, cet homme m'aimerait assez pour y croire. Il faudra bien pourtant que je m'y résolve ; personne ne viendra, ni n'appellera. Demain, dimanche sera un jour ordinaire.

À bout de forces, je m'allonge et retire mon chapeau. Ma jupe baissée jusqu'à mi-cuisses, je frotte avec délicatesse mon sexe contre les draps grossièrement fleuris du petit lit. *Ces vieilles choses-là, il faut savoir les prendre, les caresser ni trop fort, ni trop...* Doucement, je procède. J'ai le temps, à présent que je n'y suis pour personne, et que ce corps est à moi.

Des souvenirs me reviennent tandis que je précise mon geste. Je pense à ces femmes, à ces commandos de femmes qui, en pleine rue, autrefois braillaient des «Vive le sexe», ce sexe libre, majeur et débridé, mais qui dans le noir d'une chambre ne vaut pas un clou. De quoi avions-nous peur, sinon de nous rendre à l'évidence, d'accepter enfin le fait qu'il n'y a rien de plus fragile, de plus altérable, que le plaisir ? Le comble, c'est lorsque tout le monde ment et se persuade qu'il n'y a rien de meilleur sur terre que cette supercherie-là : *un homme couche avec une femme et c'est bon.*

On a frappé à la porte de ma chambre, on frappe mais cela m'est bien égal. Qu'on me laisse en paix, je suis occupée. Voilà si longtemps que je ne l'ai pas été.

La blonde, s'impatientant, vient d'ouvrir grand la porte. Grand la bouche :

— Pardon. Je ne savais pas. J'ai frappé et comme personne ne... J'ai eu peur que vous ne vous...

Mais une vieille, les fesses à l'air sur un lit, ça ne se fait pas. Un vieux, ça se range, ça se tient, ça se cache. J'ai honte, Dieu que j'ai honte, et m'empressant de réajuster ma jupe et mes bas, je me rue vers la sortie et dévale les escaliers de l'hôtel. Je dois reprendre mon souffle pour ne pas tituber et évite de peu un véhicule ivre d'hommes. Sur les trottoirs mal éclairés, des yeux sont aux aguets ; je dois avoir l'air d'une folle. Où peut donc bien aller une dame à une heure pareille ? Avec une dégaine, une démarche et des larmes pareilles ?

Une nouvelle voiture freine et je dois faire un effort colossal pour garder mon sang-froid, jouer de mon statut de vieille qui ne dispose, pour survivre, que d'une minable retraite. Inutile de m'alarmer, c'est vers une autre que moi que la Peugeot se dirige, une femme en dur avec des seins pamplemousses, et des talons de douze centimètres.

Aux enseignes qui maintenant clignotent, je devine, à peu près, où je suis, chez les hommes, et loin des mères, là où, délivrées du bien, hors tutelle, les chairs s'appellent et les désirs se négocient. Dans l'embrasure des portes d'immeubles désaffectés, des filles dévoilent leurs charmes aux clients. Il y en a pour toutes les bourses, pour tous les goûts, mais cette prudence qui foncièrement me constitue, qui, jadis, fit autorité, me recommande de passer mon chemin, d'ignorer les clins d'œil et les rires caressants des travailleuses, leurs gestes obscènes et compromettants.

Je ne me suis jamais aventurée dans ce Paris-là, je n'ai jamais vu le visage de ces gens-là. Et cette sensation d'être, dans ma ville, comme en territoire étranger est profondément déroutante. Se peut-il que ces rues n'aient été tracées que pour moi ? Qu'au matin, et comme dans un décor de cinéma, les trottoirs s'assainiront, les habitants deviendront moins barbares ? Je veux bien le croire, cela m'arrange de m'en persuader, moi qui suis supposée connaître Paris comme ma poche. En m'enfonçant dans les ruelles, je réalise aussitôt que mon hypothèse ne tient pas. Ce monde-là existe pour de bon, au cœur de la belle ville, et malgré elle. Malgré moi, assurément, qui ai toujours évolué dans un certain milieu, et me suis battue, toute ma vie, pour occuper la bonne place, le bon rang, le bon étage. Cloîtrée dans mes quartiers, j'ai délibérément perdu le goût des autres. J'ai vécu, oui, sans doute, mais sans risquer ma peau.

Sur le trottoir d'en face, un homme m'invite à entrer dans son bar. « Plaisir des sens », gazouille-t-il, tandis que je traverse et me laisse tenter. C'est que je commence à avoir soif et faim, et peur, qu'il me coûterait de rentrer à l'hôtel bredouille. Qu'y a-t-il de si indécent à vouloir vivre ?

Une fois dedans, je regrette et repartirais volontiers, mais l'homme m'installe à une table et me promet le bonheur. Or donc, vodka ! Même si c'est de la fausse, et que je n'ai jamais supporté l'alcool avec des glaçons, mais alors bien glacée parce que ce soir, c'est spécial. Cette nuit, reprend le tenancier, nous recevons le sosie de Dalida, en moins égyptienne mais deux fois plus belle ! Et Dieu sait si l'originale l'était. Puis une femme en tailleur Chanel m'accoste. Elle me vendra tout ce que je veux, des drogues et des garçons, des filles... Bref, de quoi me mettre la tête à l'envers, à bon prix. C'est fort aimable, mais je n'ai guère besoin de cela, d'une amie peut-être, mais la fille hausse les épaules ; c'est la première fois qu'on lui demande cela.

C'est une première, pour moi aussi, d'oser formuler une telle requête. Jusqu'à présent, je n'avais jamais eu à sortir seule, m'asseoir seule, sourire et boire sans personne. D'ordinaire, j'ai de la compagnie.

Mon verre est vide. Mes mains sont posées sur la table. Sur mes joues, il y a ces larmes qui menacent de se changer en caillots. Sans doute devrais-je baisser la tête, veiller à ne pas me faire remarquer en ce lieu où je suis à peine tolérée, et d'où il serait si légitime de m'exclure. Ne suis-je pas la seule, parmi tous ces clients, à venir d'ailleurs? N'y tenant plus, je me lève et regagne précipitamment la sortie. Dégager de là, avant que mon malheur ne me pète le cœur.

Est-ce moi qui suis exténuée ou est-ce le quartier qui s'est transformé? J'ai beau marcher, j'ai beau tourner, mes pieds ne se rappellent plus le chemin de l'hôtel. Le souffle court, je fais halte et me raisonne: je ne suis pas perdue, il est même impossible que je m'égare, j'ai un sens de l'orientation particulièrement développé pour une femme. Et puis, j'ai voyagé, moi. J'ai eu à affronter des situations extrêmes. Dans le désert, sur des fleuves, à la montagne, partout, j'ai su comment procéder. Chaque fois, j'ai triomphé. Alors, ce n'est pas aujourd'hui que les choses vont changer. Mais les rues se ressemblent et je dois bien admettre que j'ai besoin d'aide. L'Arabe du coin qui est un Marocain semble tout aussi troublé que moi. À sa caisse, plongé dans un demi-sommeil, il répète, comme pour l'exorciser, le nom de l'hôtel.

— Je suis né dans le vieux Fez. Alors un tel nom, je m'en serais souvenu.

— Moi aussi.

— Vous? Vous êtes marocaine, vous?

— Non, je veux dire que, moi aussi, j'ai une bonne mémoire. Je n'ai pas pu me tromper. Il s'agit bien de ce nom-là.

— Vous connaissez Fez?

— Un jour, j'y suis allée. Avec mon mari, nous y sommes allés, dans votre pays.

— Tous les Français partent là-bas. C'est pas cher, pas loin, et puis c'était un peu chez vous, chez nous.

— Ce n'est pas la question. C'était pour notre anniversaire de mariage. Un cadeau. C'était avant que je n'entre à l'hôpital.

L'homme s'est gratté le crâne et bâille. Chacun ses histoires, la mienne ne l'intéresse pas. Son problème à lui est de réussir à écouler ses cinquante-cinq kilos de dattes. Des iraniennes, de premier choix, mais à consommer avant demain, précise-t-il, tout en me faisant goûter. Je remercie l'étranger puis je poursuis ma route jusqu'à la troisième rue à droite, là où mon hôtel qui n'aurait jamais dû exister se dresse.

Cardamone n'est plus là lorsque je traverse le hall. À sa place, bien en place : ce qui, de toute évidence, fut sa mère, avant que la grossesse, l'isolement et la méchanceté ne s'emparent de ce corps, brutalement condamné à servir, à n'être plus qu'un statut : la patronne de l'hôtel Safran. Alourdis par les cernes, ses yeux sont demeurés fixes, ne se déplacent que pour récupérer la clef de la 43.

— Pardon, mais il doit y avoir une erreur. C'est au 25 que je suis.

La gueule de la femme vrille et s'ouvre pour répéter le *bon* numéro de la chambre. Aucune erreur n'a été commise. En quarante années et plus de carrière, elle ne s'est jamais trompée sur un client. Ce serait bien la première fois. Quoi qu'il en soit, et dans l'éventualité où la faute viendrait d'elle, il faut savoir que les chambres du premier étage sont, à présent, toutes occupées, pleines de Chinois venus à Paris pour un congrès.

— Voyez vous-même! fait-elle en me tendant sa bible, ce grand cahier où elle consigne les dates de départ et d'arrivée. Hier matin, ils sont arrivés. Ho Chi Minh, Ho Chuin, Ho... Voyez vous-même! elle répète, avant de me donner la clef de la 43 et de disparaître.

Mes vêtements empestant l'alcool, je longe le couloir et pénètre dans la pièce qui m'a été réservée. Il doit s'agir d'une plaisanterie car mes bagages sont tous là, fermés, comme si je ne devais plus jamais les ouvrir, plus jamais les porter, les remplir. Je n'ai donc plus besoin de vivre, ils m'ont retiré ce droit et se figurent, dans leur petite cruauté organisée, que je vais en crever. Ils peuvent toujours y aller, je tiendrai jusqu'au bout.

Il n'y a, cette nuit, aucune ombre sur le mur. L'éléphant est parti. Eudèse est morte. Je suis seule avec un troupeau de moutons à compter. Un bruit de chasse d'eau résonne. Un corps lourd marche au-dessus de moi. Impossible de deviner l'heure ; le ciel est si noir. Une porte grince, l'homme d'en haut a faim et cherche de quoi se remplir la panse. Par déduction, je suppose qu'il est en train d'ouvrir une boîte de conserve, se démène comme un diable pour récupérer l'huile. Une odeur de prêt-à-bouffer s'immisce dans ma chambre. Oserai-je frapper à sa porte pour lui réclamer une part? Il paraît que manger à sa faim rend aimable. Une télévision parle. Mon voisin rit et tape fort du pied. C'est bon, un homme qui se croyant seul se lâche, se prend pour Dieu, l'espace d'une seconde.

*

J'ai dû beaucoup dormir et le plein jour qui fait irruption dans ma chambre me donne la désagréable sensation d'avoir été démasquée. C'est cette même honte qui m'accapare lorsque j'apporte ma peau sous la douche, puis la lave avec logique et minutie. Dehors, une pluie vorace fesse la fenêtre. Il doit être seize heures, le temps des mères, cette heure où, amassées derrière les portes d'une école, elles guettent. Rien ne peut les corrompre, rien ne viendra les distraire. Nul événement ne les détournera de ce chemin droit qu'elles ont mis des siècles à tracer. Que gagneraient-elles à quitter la voie ? De loin, il est vrai de dire que c'est du beau travail, que, dans leur volonté de bien faire, de tout faire (être à l'heure, ne pas oublier le goûter), ces femmes sont des ouvrières exemplaires, et manifestement des mamans comblées. De ma chambre, je peux imaginer les visages, me figurer leur bouche, engourdie, mais qui, dans quelques instants, s'animera. Je veux bien être là, alors, être elles, parmi elles pour récupérer ce qu'*ils* m'ont pris, ce que mes trois fils, oui, sans exception, ont eu le culot de me retirer.

Cinq minutes d'une marche soutenue séparent l'hôtel Safran de l'école primaire des Hirondelles. Davantage, si l'on compte les feux rouges et les quelques raisons qu'aurait une mère de famille de ralentir en cours de route. Dans ma précipitation à m'y rendre, je suis sortie de l'hôtel sans manteau. Le vent s'engouffre maintenant sous ma jupe. J'ai piètre allure et, sur les carrosseries des voitures, ressemble à un parapluie noir, mal fermé. Je ne puis réprimer un soupir d'agacement en constatant que je ne suis pas la première à arriver sur les lieux. Adossées au portail, deux mères montent déjà la garde, un sachet de viennoiseries à la main. Tout à leur tâche, elles ne s'observent ni ne se sourient. Un jour, peut-être, se salueront sous prétexte que leur fils est dans la même classe et qu'elles assistent aux mêmes réunions de parents d'élèves.

Bientôt l'heure, et le trottoir est rempli. Des filles comme tout le monde, des femmes du monde entier s'y pressent, anonymes le jour, mais assurées, chaque soir, chaque fois que sonne la cloche, de triompher. À 16 heures, chacune d'entre elles sera la plus belle, la plus douce, la plus merveilleuse, la plus gentille. Toutes seront mères. Toutes auront le sentiment d'exister. Le portail ouvert, je me rapproche d'une maman et regarde s'opérer la métamorphose. Je l'entends qui exulte, la sorcière, la vois redoubler de ruse pour conserver son maigre statut. Et de charmer son marmot, innocent, mais maître, qui, ivre de bonheur, se jette dans ses bras. De voler tous ses rires, de lui sucer le cœur. De chercher, dans ce petit visage, tourné exclusivement vers elle, des preuves, possibles, de sa propre pureté. L'enfant se sacrifie et la mère se délecte. Elle l'a, cette adoration, sans bornes, cet amour commode, mais qui comble les trous. Et absout. Car la voilà bénie, délivrée pour un temps de toutes ses petitesses, héroïne et plus chienne, sublime, quand, dans le monde des grands, elle ne vaut rien. La voilà qui s'éloigne, sans même songer à me donner les restes. J'appelle, mais qui fera la charité à une vieille dame habillée ? Il faut être un vrai pauvre pour que les gens se sentent tenus de vous aider.

Les cloches de l'école se sont tues depuis longtemps. Le vent tourne encore, mais je n'ai plus froid. Je n'ai plus de larmes, non plus. Celles qui restaient ont coulé lorsque la dernière des mères a disparu de mon champ de vision. Je n'ai pas eu besoin de tourner la tête pour la suivre, je savais bien où elle allait. Mille fois, un million de fois, au moins, j'ai fait comme elle. Ce chemin, entre l'école et la maison, c'était mon lot de le prendre tandis que mon mari écoulait ses détergents dans toute la France. Mes fils au chaud, la baby-sitter à leur chevet, je regagnais mon bureau, pour me consacrer corps et âme à ce magazine dont j'ai brûlé, un été, tous les numéros.

Il doit être un peu tard, le Marocain du coin vient d'installer ses présentoirs. Nous nous saluons. Peut-être qu'avec le temps je finirai par être une habituée du quartier. Il souhaiterait me faire manger toutes ses dattes, mais ce soir, je n'ai pas faim. Cette nuit, je veux boire. J'ai la soif et tout mon temps ; plus aucun hôpital, école, ou maison ne m'attend.

J'ai dû quitter le bar des Étoiles, le garçon n'avait plus de vodka. Un fond de gin, sûrement, mais je n'aime pas le gin. Plus loin, plus tard, il y avait ce club, avec cette rousse à l'entrée, une fille à s'appeler Shirley — et on l'appelait Carl, je crois. Dans une salle aux lumières tamisées, des débuts de couples dansaient sur des musiques indéterminées. Par réflexe, les mains des danseurs s'aventuraient plus bas ; descendant d'un cran, vers ce bout de chair triste qui n'aurait jamais rien à voir avec L'Origine du monde. Mais il était bon d'y croire. Il était encore temps de faire semblant. J'ai exigé une table et, cachée derrière ma bouteille, j'ai avalé cul sec trois verres de whisky. À m'en brûler la gorge.

Personne ne m'a grondée, personne ne s'est moqué, sans doute parce qu'une femme qui boit est une femme qui est seule, et que cette solitude-là a toujours fait peur aux hommes. Prévenant, le patron a posé sur la table une assiette d'œufs durs. Il paraît que cela aide à tenir l'alcool. Ma bouteille terminée, j'ai commencé à voir tout en double et je me suis levée pour danser. Ce n'est pas moi, en vérité, qui bouge, mais un homme qui me fait tourner. Je me laisse guider et éprouve un plaisir presque indécent chaque fois que l'autorité de l'inconnu s'exerce. C'est un slow et, comme dans tous les slows du monde, le cavalier se colle à sa partenaire. Furtifs mouvements du bassin qui donnent envie d'être amoureux.

Que diraient mes anciens compagnons s'ils me voyaient m'y soumettre ? Penseraient-ils à mal, ou se réjouiraient-ils de ma résurrection ? Et Laurence, que plaiderait-elle pour me disculper ? Militerait-elle pour la liberté sexuelle des *femmes mûres* ou s'abstiendrait-elle de tout commentaire, de peur de se mouiller ? Mon corps vacille, et, pour ne pas faillir, s'accroche désespérément aux bras de *l'homme jeune*. C'en est un ; je n'ai nul besoin d'un dessin pour m'en convaincre. Tout, en lui, ne parle que de cela : sa peau, ses cuisses, ses fesses, son haleine. Cette peau ces cuisses ces fesses cette haleine. Et, aussi, ce sexe, de plus en plus déterminé, si volontaire que j'en ai honte, qu'il me faut à tout prix retourner m'asseoir, me reprendre.

— Vous ne voulez plus danser ?

— Je suis fatiguée.

— C'est dommage, vous vous débrouilliez très bien.

L'homme me raccompagne à ma table, et je ne peux m'empêcher de lui jeter un regard soupçonneux.

— Vous devriez faire danser quelqu'un de votre âge. Des femmes comme moi ne peuvent vous être d'aucune utilité.

En revanche, je peux vous offrir à boire, si vous le souhaitez. Vous voulez bien?

Ce n'est pas très élégant. Une vieille qui régale a toujours quelque chose d'abject. Mais c'est ainsi, je n'ai plus rien d'autre à proposer. C'est à prendre ou à laisser. Il prend et, dans un claquement de doigts romanesque, réclame deux verres et des glaçons.

— Touriste?

— Si l'on veut.

— Seule?

J'ai manqué répondre « non » et c'est les larmes aux yeux que j'acquiesce.

— Donc, vous êtes libre?

Évidemment, je suis libre. Comment pourrait-il en être autrement après tout ce qui est advenu? Mais peut-être devrais-je tout lui raconter? On dit que la parole libère et que se confier à un homme qui passe est le meilleur exercice qui soit pour souffrir moins. Soit, mais que dire, et par où commencer? Mon mari que je ne supporte plus et qui m'aimait *avant* m'a subitement laissée tomber. Mon corps est très malade bien que je ne le sache pas encore. Je vieillis donc je dois mourir. Je suis triste parce que mes fils me détestent, ma sœur, les voisins, le chat. Est-ce assez pour ruminer? Est-ce déjà trop pour payer à boire à un inconnu? Et puis, que ferait-il de tout cela? Personne n'aime les histoires qui finissent mal.

L'homme s'est tu, et ne quitte plus des yeux la piste, là où une blonde, aux fesses chues, improvise une rumba avec un homme qui pourrait être son fils.

— En vérité, c'est du faux, fait-il, en s'attardant sur les cheveux de la danseuse. Mais c'est exprès pour ceux qui aiment les blondes. Vous ne voulez toujours pas danser?

Je n'étais plus ivre lorsque je me suis levée. Je lui ai tendu la main qu'il a baisée fort, comme pour me dire que j'étais quelqu'un de bien qui méritait, a priori, le respect d'un homme. Il a ajouté que même si je n'étais plus blonde, ni rousse, ni rien, je n'en étais pas moins présentable, une femme en mesure de plaire lorsqu'elle consentait à s'abandonner un peu. Puis nous nous sommes quittés, j'ai récupéré mon gilet à l'entrée. Dehors, la même nuit noire, sans tête, s'étalait.

Je m'apprêtais à l'affronter lorsqu'une main d'homme s'abattit sur mon épaule.

— Madame, s'il vous plaît. Vous n'avez pas réglé !

Une facture entre les mains, Shirley avait repris sa gueule de Carl, de celle qui n'aime pas qu'on se paie sa tête.

— Vous êtes partie sans payer les œufs et les cigarettes.

— Quelles cigarettes ?

— Vous nous devez 45 euros.

— Vous devez vous tromper, je ne fume pas monsieur.

— L'homme avec qui vous causiez, il faut payer pour lui.

Derrière son dos, en ombre chinoise, je vois apparaître le patron. Il surveille, prêt à intervenir au cas où je refuserais de coopérer. Des clientes de mon espèce, il en a vu défiler. Elles logent dans les quartiers chics, elles sont pleines aux as, mais répugnent toujours à mettre la main à la poche.

C'est du vol, je marmonne, en ouvrant, de mauvaise grâce, mon porte-monnaie. Ils en profitent car je suis *seule*. «Moins tu es, moins tu as», c'est ce que nous a toujours répété notre mère Jeanne. C'était sa phrase, avec «Vous ne l'emporterez pas au paradis». Comme si elle savait, elle, ce qu'il adviendrait de nous, après. Comme si, de la cuisine qu'elle ne quittait jamais, elle était capable de voir dans l'au-delà, d'imaginer d'autres horizons que ce champ-là, derrière la fenêtre. Ce champ vert, par temps de courgettes, rouge, lorsque la saison des tomates démarrait, cette terre qui nous imposait son rythme, et que je maudissais, petite.

Combien de fois, la haine au cœur, ai-je dû m'y soumettre? Combien de mes dimanches, de mes étés, lui ai-je offerts parce qu'une vache pleine de lait n'attend pas, qu'un fruit pourrit si on ne le cueille pas à temps. De combien de mépris, de colère, de rancunes me suis-je remplie?

Il est faux de croire que la campagne est belle et nous aime, qu'il y fait bon vivre, bon manger, et grandir. Le sang des bêtes, le lait qui tourne, la terre qui pue, voilà, là, toute mon enfance. Rivée à cette terre comme à une croix, j'ai vu moisir ma mère. C'est étrange, une femme qui change de consistance, ses eaux deviennent aigres, son corps est tout rance. Depuis notre champ, donc, où je feins de jouer, je la regarde faire, Jeanne, derrière sa fenêtre. Elle fait les confitures, à consommer l'automne prochain. Elle fait si parfaitement corps avec son tablier. Jamais une belle robe, sauf pour les enterrements. Jamais d'or, hors la ville. Rien d'autre que cette odeur, indéfinissable, mais si tenace, que ma mémoire de grande personne n'aura cesse de se rappeler. Jeanne sans rêve, briquant sa case avec sérieux. Puis elle chaussait ses lunettes et s'attablait, non pas dans l'expectation, mais quiète, la tête légèrement inclinée du côté gauche, le regard posé sur rien en particulier. Rien qui puisse la divertir, la précipiter hors de ce quotidien qui, avec le temps, la résumera. Longtemps, ma mère ressemblera à une casserole. Longtemps, je les laverai, ses casseroles, jusqu'à ce que ma sœur les récupère. Jeanne morte, Angèle s'est saisie de tout. Jacques était contre. Il bougonnait, mais j'ai laissé faire. N'avais-je pas déjà trop hérité?

Nous portons nos parents comme l'on porte de vieilles peaux. Les transportons là où nous allons, là où le climat, les gens, le contexte leur sont favorables; nous ne pourrions pas nous en passer. Cette coutume est secrète, bien des hommes la taisent par vanité et par pudeur. Jeanne morte, ma peau à moi s'est envolée en fumée; et il y avait l'odeur qui restait. Jeanne est morte et, en partant, m'a confié son corps. Il ne restait plus d'eau, à l'intérieur, mais tout était si propre, si bien rangé. Longtemps, j'ai craint d'y mettre du désordre.

J'ai perdu mon corps lorsque j'ai eu vingt-deux ans. Lorsque je m'en suis rendu compte, il était tard. J'avais pris des rides. J'avais presque tout oublié quand je me suis mis à le chercher. Allongée sur le divan d'un sorcier, j'ai fait comme tout le monde fait, j'ai parlé. Une heure toutes les semaines, cinquante-deux fois par an, j'ai ôté mes chaussures. Je me souviens que l'homme qui m'écoutait sentait la femme. Il n'avait pas de mains, jusqu'à ce qu'il les sorte de ses poches pour noter l'heure et le jour du prochain rendez-vous. Puis je ne sais plus. Un jour, j'ai oublié d'y aller. Je me suis excusée et je n'ai plus jamais rappelé. Ce n'était pas par peur d'affronter la vérité, c'était, je crois, par souci de ne pas être indiscrète; cette histoire me semblait si peu mienne. Les années ont passé et c'est bien plus tard, dans notre jardin, aux Demoiselles, que mon corps de jeune femme m'est apparu.

Il faisait chaud, Jacques remplissait les verres de rosé.

Peut-être avions-nous trop bu. Non, sincèrement, je ne saurais dire, mais il me semble, oui il me semble avoir entendu une femme chanter, et ce n'était pas la voisine. Je me suis levée, ma coupe à la main, et ai marché en direction de la voix. Jacques remplissait son verre de vin. Celle qui chantait se tenait sous le chêne. Son ombre sur la terre était si grande. Celle qui chantait me ressemblait, en plus jeune, mais la même. Pour de bon, elle était cette première femme que j'avais été. Jacques remplissait son verre. Je ne pouvais détacher mes yeux d'elle. Elle souriait, sans doute était-elle encore libre. On dit que le sexe d'un homme remplit, je crois, moi, qu'il nous vide, que leur amour est un poison qu'ils nous injectent pour toutes nous liquider. J'aurais dû m'en douter, cette première fois où un homme s'est couché sur moi. Mais pourquoi Jeanne a-t-elle laissé faire ? C'est ce que j'ai eu envie de lui raconter à la fille qui me ressemblait, afin qu'elle sache bien, elle, à quoi s'en tenir, qu'elle comprenne ce qui lui arriverait si elle s'avisait de capituler. Fille, elle deviendrait femme, puis mère, puis vieille. Mis en consigne, son corps de vingt ans se mettrait à sécher parce qu'il n'y aurait, alors, plus personne pour l'entretenir.

Quand elle a eu disparu, je me suis attablée et ai dit à mon mari qu'il avait eu raison, qu'on avait été bien inspiré de le mettre au frais ce vin, que c'est ainsi qu'il faut toujours faire en été.

*

L'ampoule du hall de l'hôtel a grillé et c'est à tâtons que je regagne ma chambre. Pas un seul Chinois en vue mais le corps lourd, hommasse de la patronne adossé contre ma porte. La tête plantée de bigoudis, elle a ouvert son cahier d'écolière et veut me faire la peau. Je le sens à ses manières, son empressement à pénétrer «chez moi», à y jeter un rapide coup d'œil, car il se pourrait bien que je sois acculée à déménager, dès demain. De bonne heure de surcroît, puisque le premier convoi est prévu pour sept heures.

— Je ne m'en sors plus avec tous ces étrangers! J'espère que vous nous comprenez. Ma mère et moi, on tenait à vous avertir.

Ce n'est donc pas la mère qui est en train présentement de me duper mais la fille, en dépit de son jeune âge, et de son apparente débonnaireté.

— C'est toujours mieux de savoir. Ça permet de prendre les devants. Vous libérerez la chambre demain matin, n'est-ce pas?

Ouais, je réponds, avec ce rire de gorge de femme du monde qui, dans cet hôtel vétuste et ignoré, sonne faux et, de toute évidence, cloche. Décontenancée, Cardamone me dévisage. S'attarde presque avec compassion sur mes bas qui filent et mes varices.

— Nous, on n'est qu'un petit hôtel. Mais, vous devriez consulter un spécialiste. Parler, ça fait du bien des fois.

Son profil dur s'est affaissé, à moins que ce ne soit la fatigue, qui, sans égard pour la conversation en cours, s'empare de l'hôtelière et l'oblige à se ménager. Sur ses hanches où elle vient de poser une main, le sommeil s'incarne. Le corps est tassé, et s'est assis.

— Pour ce que j'en dis moi... Après tout, ça me regarde pas. C'est votre vie.

— Ma vie? Ma vie mon cul!

— Vous ne devriez pas parler comme cela, s'exclame-t-elle, en croisant les jambes.

Un rictus me fend la bouche. Que se figure-t-elle, du haut de sa petite morale ? Que les vieux n'ont jamais été jeunes, et qu'elle est bien trop jolie, aujourd'hui, pour finir comme moi ? Tous les hommes vont mourir. Le sait-elle ? Tous, sans exception.

— Vous devriez dormir.

Elle s'est levée comme un seul homme et traverse d'un pas volontaire la pièce. De dos, c'est bien vrai qu'elle ressemble à sa mère. On peut voir, sans peine, la femme qu'elle sera demain. Elle referme la porte et ses talons s'enfoncent comme des aiguilles sur le parquet. Elle trotte et, dans l'obscurité qui l'aveugle, n'éprouve aucun scrupule. Ici s'étend son royaume, dérisoire mais sûr, qu'aucun événement ne saurait ébranler.

Étais-je ainsi, à son âge ? Appréhendais-je d'une manière aussi claire ma vie ?

Lorsque la guerre s'est achevée, une telle question était impensable, une telle question ne méritait même pas d'être posée. Éprouvés, les jeunes avaient pris de l'âge. Ils marchaient, mangeaient, baisaient comme des vieux. On ne se demandait pas, alors, comment remplir sa vie, on tenait, sans perspectives ni certitudes. La guerre avait bien fait son travail. En chaque rescapé, résiderait un fantôme. Cette histoire, c'est ma mère qui me l'a racontée, certains soirs, alors qu'elle vainquait les nœuds dans mes cheveux. Elle n'en disait pas davantage. Jeanne pensait que la guerre était une affaire d'hommes. Est-ce parce qu'à son époque plus personne ne décidait de rien qu'elle n'a jamais repris sa main et est *demeurée en mariage* comme on reste en prison ? Est-ce parce qu'il n'avait pas le choix que mon père a fait le salaud? Suis-je donc la première de la lignée à avoir eu des rêves?

Une odeur de sardines vient d'entrer dans ma chambre. En haut, la télévision privée donne un film. Je n'entends plus la voix des acteurs, mais leurs soupirs de plaisir. Un fauteuil grince des pieds; mon voisin a dû changer de position.

Mon corps pèse lorsque je le glisse sous la couverture, un costume plein-de-pièces, impossible à retirer. Ce soir, aucun cintre n'est assez solide pour le porter, je l'habite, donc, et éprouve soudain une douleur cinglante dans le bas-ventre. Sur la chemise de nuit en coton, une tache brune vient d'apparaître. Je nettoierai demain, et bien qu'il me semble que c'est, cette fois, la peau qui est atteinte. Ma peau est touchée, oui, et ce bouleversement m'indigne. N'est-ce pas assez de vieillir par endroits? Il faudrait encore payer de toute sa personne, souffrir que son corps ne soit plus qu'escarre. Si mon mari me voyait, il me réprimande-rait et m'ordonnerait sur-le-champ de consulter un répa-rateur. Mourir, avec un tel corps, lui semblerait indécent. Même décédé, un homme doit rester présentable. L'an-goisse m'étreint le cœur. Qu'adviendra-t-il, si je meurs ainsi? Qui, de mes fils, de mes parents, des vieux camarades, sera en mesure d'identifier mon cadavre? N'y a-t-il, en définitive, que Gustave sur qui compter? Et puisqu'il est dit que les bêtes reconnaissent toujours leur maître.

*

Le jour levé, j'ai payé ce que je devais, puis je suis partie en quête d'un nouveau lieu où dormir. En un sens, ce n'était pas plus mal de changer; un fugitif n'a pas d'habitudes. Dans le métro, il me semblait percevoir des regards rancuneux, me reprochait-on d'être tachée et de sentir, à ce point, le carton ?

Partout, pourtant, une publicité louait ces nouveaux métiers de l'aide à la personne. *Aimez-les*, exhortait la légende tandis qu'encadrés par une paire de jeunes gens serviables, des personnes âgées souriaient à l'objectif. La promesse était séduisante ; ils bénéficieraient d'une *fin de vie* heureuse ; on se gardait bien d'évoquer la mort.

— Vous voulez vous asseoir, madame ?

Formulée en chœur, la proposition venait d'un couple, convaincu d'accomplir, là, sa bonne action hebdomadaire. Demain, je n'aurais pas à donner au mendiant, spéculait perfidement l'homme, tout en me cédant son siège. Et sans doute se réjouissait-il déjà, l'hypocrite, à la perspective de me voir sauter sur l'occasion. Une telle aubaine n'arrive qu'une fois dans la vie. Sans doute, s'apprêtait-il à supporter mes ruminations : *Les gens sont égoïstes. Personne ne respecte plus personne. Les Parisiens sont méchants*, etc. La tête niaisement tournée dans ma direction, il espère une récompense. S'étonne, s'impatiente, mais je le toise, qu'il essaie seulement de me réprimander !

Le train s'arrête à La Défense et tous les voyageurs sont priés de descendre. Dehors, les revoilà qui gesticulent. L'heure c'est l'heure, et le temps, c'est de l'argent. Il y a, dans ce quartier économiquement stable, un cap à tenir. J'emboîte le pas d'une femme qui passe, d'un cadre qui traverse, d'un labrador qui suit son maître. Je file le train aux nuages que je perds parce qu'il n'y a bientôt plus de ciel. Seules triomphent les tours, gardées et interdites d'accès. De nouveau, j'ai le sentiment de ne plus exister, de n'être plus qu'un corps que l'on double, que l'on contourne, parce que dans ce quartier-là de la ville, on ne flanche pas.

Ici, on ne relève pas ceux qui tombent. C'est bien vrai que je suis à terre à présent. J'ignore d'ailleurs comment un tel accident a pu se produire. J'ai dû glisser sur le trottoir. J'ai un bleu aux fesses et ma valise est toute humide. Je passerais bien la journée là, à hauteur de chiens, mais on ne m'accordera pas ce privilège. Ici, ceux qui vivent n'aiment pas flairer la mort de trop près. Sur leur injonction muette, je me redresse, donc. Rester un homme coûte que coûte, autrement dit, quelqu'un qui a peur et honte, et qui ment pour oublier qu'il va mourir.

Ce quartier n'aime pas les pauvres, et les tarifs exorbitants pratiqués dans les hôtels ravivent mon vieil instinct de gauche. En mon temps, une telle injustice, une telle atteinte au droit fondamental de l'homme de se loger, n'aurait pas pu s'exercer au grand jour, avec autant d'arrogance. À peine ouverts, ces hôtels auraient été saccagés. Rien n'aurait été épargné : les habits de clown du personnel, ces salons à tourner en rond, ces suites affectées de noms idiots, avec leur dix serviettes de toilette par jour et par personne, leur bain moussant à la mangue verte et leur vue sur jets d'eau. *Avant,* les réceptionnistes auraient réfléchi à deux fois avant de me répondre, sur un ton qui ne souffrait aucun commentaire, que, leurs prestations étant adaptées aux besoins d'une certaine clientèle, je devrais songer à me rabattre sur des hôtels bas de gamme.

Ma valise à la main, j'écoute jusqu'au bout l'argumentaire du personnel du Paris Paradise. Ils s'y sont mis à plusieurs pour le dérouler, deux femmes et un homme, qui, dans leur gémellité bornée, me rappellent *les trois petits cochons.* Leur grossièreté est à son comble, lorsque, priés de bien vouloir me faire visiter l'une de leurs chambres, ils feignent d'être soudain débordés et me suggèrent de repasser plus tard. Je me suis rapprochée, et ma bouche à quelques millimètres de la leur, leur reformule ma demande. «Voulez-vous bien, s'il vous plaît, me montrer l'une de vos chambres ?» Ils hésitent, puis abdiquent, se rappelant sans doute qu'ils ont une mère, cachée quelque part en province. Une maman qui les a éduqués avec bon sens, dans un milieu qui n'a assurément rien à voir avec l'idée qu'on peut se faire du paradis. Sous le regard narquois de la soubrette, je pénètre dans la chambre de Dante. Le Septième Ciel (c'est ainsi qu'ils ont baptisé le lit à baldaquin) y occupe toute la place. On doit le contourner pour se rendre aux Enfers, pas encore récurés, s'excuse la chambrière, mais qui valent le détour ; la cuvette W-C est à un mètre du sol. Et puis la vue est fantastique, ajoute-t-elle, sans rondeur, en m'indiquant du menton l'immense baie vitrée. Le front collé à la fenêtre, je regarde avec stupeur les hommes vivre. Anodins mais si volontaires, ils ont envahi l'esplanade. Font nombre jusqu'à former cette lave puante, mais qui magnétise. Sur la dalle, un sac plastique vient d'être jeté. Puis, le voilà qui vole entre les tours.

— Excusez-moi, mais j'ai encore dix-sept chambres à faire. Pour ce qu'ils me paient ici, on ne va pas passer la journée à visiter !

Je reprends ma valise et, du coin de l'œil, la regarde glisser, dans la poche de sa blouse, un shampoing bleu Paradise. L'expression d'une satisfaction molle illumine un bref instant son visage. Ce larcin est-il le seul moyen qu'elle ait trouvé pour résister et se convaincre que la lutte des classes a encore un sens ? Espère-t-elle faire plier le patronat ?

Je n'ai pas pris la Dante, ni l'Éden, ni celle dont les murs, tapissés de plumes d'oie, donnaient au client l'illusion d'être en conversation permanente avec les anges. Reconduite, sans un mot, aux portes de l'hôtel, j'ai traversé l'avenue et marché jusqu'au grand parvis. J'avais abandonné tout espoir de trouver une chambre dans le quartier. Je désirais m'asseoir à une terrasse de café, me fondre dans la lave.

*

Je ne l'ai pas vu venir. C'est pourquoi j'ai sursauté lorsque, d'une voix doucereuse, il m'a demandé ce que je fabriquais là. Quel intérêt avait une femme comme moi, mariée et à la retraite, de quitter d'aussi bonne heure son domicile fixe ? La Défense n'était pas le meilleur quartier pour paresser en terrasse. Puis Pierre Maslowski me serra la main en rougissant. Ex-collègue de travail de Jacques, et des années sous ses ordres, il n'avait jamais osé me parler librement. Je ne lui connaissais pas ce sourire, sans doute n'avais-je jamais bien regardé cet homme. Je l'invitai donc à s'asseoir et, profitant de l'arrivée de la serveuse, pris temps de l'observer pour de bon. Il avait une bonne tête malgré son complet marron merde, ses mocassins en cuir véritable et son duffle-coat boulocheux. Il n'était pas encore chauve, et ses quelques cheveux blancs en désordre lui donnaient l'air d'un penseur. Il devait avoir ses idées.

— Je suis étonnée de vous revoir. Cette ville est si grande. C'est très facile de perdre de vue les gens.

— J'ai hésité avant de venir vous saluer, vous savez. Je n'étais pas très sûr. Dans mes souvenirs, vous aviez les cheveux longs. Ils étaient même très très longs, non ?

— Jusqu'aux fesses.

— C'est ça, la vie. Les années passent et puis on ressent le besoin de se débarrasser de tout un tas de choses. Moi, par exemple, je viens de vendre ma voiture. Cela peut paraître idiot, mais je me suis dit que je n'avais plus envie de m'encombrer. J'ai pensé que cela me ferait du bien de me remettre à la marche. Je ne sais pas si votre mari vous l'a dit, mais j'ai été champion de marathon. J'étais un vrai sportif avant d'entrer chez VRPlus.

— J'ignore si vous êtes au courant, Pierre, mais Jacques n'est plus tout à fait mon mari actuellement. Nous ne vivons plus ensemble. Il est resté dans le XIVe et, moi, moi je vis dehors. Chaque semaine, je change d'hôtel. Cela peut sembler un peu compliqué mais, vous savez Pierre, je n'ai pas bien le choix. Plus personne ne veut prendre cas de moi.

C'était l'émotion qui m'avait autorisée à poursuivre, l'enjouement à l'idée que quelqu'un puisse éprouver de la sympathie pour moi, suffisamment pour boire un café et souffrir de passer quelques heures en ma compagnie. L'hôtel, mes solitudes semblaient si loin à présent. Or donc, je parle. Je raconte sans plus me soucier de Maslowski, de son sourire qui se fissure, de ses mains, non plus disponibles, déférentes, capables, mais rangées, enfermées à double tour dans ses poches. Craignait-il d'avoir à s'en servir ?

Je pleurniche sans tenir compte de cet homme qui, pour se *débarrasser de ce qui l'encombre*, consulte sa montre et s'empresse de se lever.

— Je dois y aller, s'excuse-t-il, écarlate, en me baisant les deux joues.

Mais mon urgence est trop pleine. J'ai à dire. On doit m'entendre. Que quelqu'un m'écoute, nom de Dieu, jusqu'à ce que mon histoire lui soit, autant qu'à moi, intolérable.

Atterré, l'ancien collègue de mon mari se ravise et

m'engage à changer de place. Il a choisi une table au fond du bar et, posant son duffle-coat sur ses cuisses, vérifie de nouveau l'heure en soupirant.

— Mais, je vous préviens, je n'ai plus qu'une demi-heure à vous consacrer.

Le ton est sans appel, mais c'est égal, j'ai l'habitude des rabs et souris en pensant que Pierre, non plus, n'a pas le choix. Homme à scrupules, il ne supporterait pas l'idée d'avoir un suicide sur les bras. Que son amour-propre en prenne un coup.

— Votre histoire n'a rien d'exceptionnel ; des milliers de couples se séparent tous les jours. On s'est aimé, on se quitte, et alors ? Ce n'est pas la fin du monde. Il ne sert à rien de prendre cela trop à cœur, sermonne Pierre, tandis que la serveuse dépose sur la table un double whisky sans glaçons. Cela étant dit, il me semblerait plus raisonnable d'essayer de recoller les morceaux avec votre mari. Je parle pour vous, surtout. Après une rupture, les hommes retombent toujours sur leurs pattes. Pour une femme, ce n'est pas pareil, cela va moins de soi.

Et de répéter *pour une femme*, comme si le fait d'en être une était une maladie. Son avis donné, Maslowski s'occupe de lui et passe commande. *Un demi, s'il vous plaît*, qu'il absorbe comme un homme accoutumé à boire le matin.

Puis la conversation s'enlise. On parle du temps. *Les cerises seront gorgées d'eau cette année, la neige a bien tenu dans les Vosges, les melons promettent d'être sucrés.* Pierre préfère les jaunes, et je fonds en larmes. Beaucoup d'eau, de quoi attirer les regards sur notre table et inspirer la patronne. *Elle ne voudrait pas dire, mais y a plein de gens qui souffrent dans ce pays, depuis qu'un cinglé est au pouvoir, elle en voit, elle, des gens bien qui craquent. On* croirait pas comme ça, mais il y a de plus en plus de dépressifs en France. Elle ne voudrait sûrement pas avoir l'air de, mais sait ce qu'elle dit ; toute la journée, ça défile.

Mon verre de whisky se remplit de larmes. C'en est trop pour Pierre, venu à pied, jusqu'à La Défense, pour se confier à son psy. Il ne va pas très fort, Pierre, et s'apprête (ses deux bières mises à part) à entamer son dix-septième jour sans alcool.

— De toutes les façons, c'est toujours comme ça ; personne ne veut finir seul.

Bien joué Pierre ! Saint Pierre, qui, peu disposé à faire dans les détails, me ramène au groupe et se noie dans des généralités.

— Écoutez, Denise, j'ignore sincèrement ce qui a pu se passer dans la tête de votre mari. Mais voyez-vous, ce que je sais, moi, c'est que les femmes, elles ont l'art de nous chercher des poux dans la tête. Elles passent leur vie à faire les comptes. Combien de temps on va mettre pour les aimer, les tromper, les quitter, il n'y a que cela, on dirait, qui les passionne. Alors, à la longue, cela use, forcément.

L'homme qui parle fait son malin. L'homme qui sketche s'écoute dire, mais Pierre Maslowski sait-il qu'il ne vaut plus grand-chose ? Qu'il ferait rire tout le monde avec sa gueule de caillou ? Cette mèche de cheveux blancs qu'il se refuse à raser quand tout le reste se barre ?

C'est la tournée de la patronne, mais non merci. Je risquerais de mal me comporter, faire tout ce qu'une honnête femme se retient de faire lorsqu'elle n'est pas chez elle. Je tiens à rester sobre. Je ne suis pas folle et ai encore à dire.

Les mains de Pierre tremblent fort maintenant. Braqués

sur la porte d'entrée, ses yeux aimeraient trouver la force de lever le corps, le conduire en lieu sûr, là où, depuis toujours, une mère veille au grain, dans une passion contenue mais fière, vient de tracer une dix-septième croix sur son calendrier. Se rappelant sa parole et ses bonnes résolutions, Pierre fils s'efforce d'oublier le troisième verre de bière posé sur la table.

— Depuis tout à l'heure, je vous écoute parler mais vous savez, tout cela commence à être fort embarrassant. Votre mari et moi n'avions aucune intimité. Nous n'étions, en somme, que des...

Ils étaient collègues, je sais. Et puis, un jour, rivaux. C'est Jacques qui me l'a dit et m'a raconté la réunion avec les Américains.

— Vous aviez perdu votre sang-froid, n'est-ce pas? Personne ne comprenait pourquoi. Personne n'aurait pu imaginer que vous vous mettriez dans cet état-là. Je pourrais vous le raconter par cœur, ce jour où, devant eux, vous vous êtes déshabillé. À poil, à poil, jusqu'au cul que vous leur avez montré en éclatant de rire. Vous aviez perdu la tête, alors. Même qu'il a fallu appeler Roselyne pour vous calmer, que Jacques a dû signer la mise à pied, que vous, pour ne plus avoir la honte, vous préfériez croire que c'était à cause des autres, de cette pression que le petit chef des autres vous mettait chaque fois que vous passiez la porte de l'agence VRPlus parce que des aspirateurs qui font le ménage, de la lumière et de la musique en même temps, il faut se décarcasser la tête pour les vendre. C'est, je crois, peu de temps après cet incident, que votre épouse Roselyne vous a quitté. Invité à manger chez votre bonne mère, vous n'avez pas bougé Pierre, pas d'un seul millimètre. Vous êtes resté comme un con, avec votre pavillon «pas fini de payé», et cet autre calendrier où vous avez commencé à faire les comptes. Au fond, lorsqu'on y réfléchit bien, vous ne valez guère mieux que moi.

L'ancien collègue de mon mari s'est levé, moi avec. Je le suis jusque dans sa voiture de location, garée dans un parking souterrain et dont il vient, comme par enchantement, de se rappeler la présence. Bien que ce ne soit pas le propos, je me dis qu'il est excitant de suivre un homme dans un parking, qu'un parking, avant midi, est un lieu intéressant pour tenter quelque chose. J'ignore si je m'abuse, mais il me semble que Pierre éprouve à mon endroit la même curiosité. Il a dénoué sa cravate et, dans la pénombre, correspond à peu près à l'image de l'homme-au-parking. Sa portière ouverte, il se retourne et d'une voix peu ferme, articule.

— Mettez votre valise dans le coffre, je vais vous reconduire à la maison.

La Ford a démarré et je ne puis me défaire de ces pensées obscènes. Osera-t-il prendre ma bouche ? Voudra-t-il bien de ce corps gâté, de ce sexe si aléatoire ? Et si je me jetais à sa tête ?

Absorbé par sa conduite, Pierre Maslowski m'a oubliée. Il manque hurler en sentant ma main sur sa cuisse. Cette main qui glisse le pétrifie ; des gouttes de sueur souillent sa chemise. Mon corps qui veut l'oppresse ; l'ancien collègue de mon mari baisse sa vitre et regrette son numéro de joli cœur. Car n'est-ce pas lui qui, m'apercevant sur une terrasse, est venu à moi ? M'a entreprise, sans tenir compte de ma situation, et de la hiérarchie ? Qu'espérait-il obtenir de l'ex-femme de son ancien chef ? Que cherchait-il à se prouver ?

— Je ne tiens pas à être désobligeant, madame Singer. Je vous ai toujours respectée, mais voilà, je préférerais que nous en restions là, vous et moi.

Ainsi fait-il, l'imbécile, avant de s'engouffrer dans l'allée des bus, cette voie où je suis priée de descendre, où, du bout de ses lèvres serviles, il passe le bonjour à mon mari et me souhaite une excellente journée.

La voiture démarre en trombe, un autocar dégorge et je bute contre un groupe de Roumains venus visiter Paris. Ils voyagent en famille, songé-je avec dépit, tandis que, sous le coup d'une fulgurante douleur au ventre, je m'affaisse. C'est, aujourd'hui, la deuxième fois que mon corps lâche. Que, sans crier gare, il refuse de me porter et me le signifie de manière radicale. Par expérience, donc, je sais qu'il n'y a pas lieu de s'en faire ; comme tantôt, je vais me relever et continuer d'avancer, la tête haute. Dans une ville aussi peuplée que Paris, ce genre d'infortune se produit très souvent. Chaque jour, il y a quelqu'un, quelque part, qui tombe. Dans une telle ville, choir est presque anecdotique. Quoi que j'entreprenne, cependant, mes jambes s'obstinent à rester inertes. Étendue sur le pavé, je suis cette petite dame qu'une poignée de badauds entoure. Cette passante dont les cris et les halètements commencent à faire jaser. Écrasée par la honte, je les entends bruire, les vivants hypocrites. Ils soupçonnent une crise cardiaque. Ils accusent un chauffard. Ils prétendent m'avoir déjà vue traîner dans le quartier ; je dois être une clocharde ou bien ?

Je vais mourir, et je n'ai besoin d'aucune espèce d'explication pour le savoir. Mais n'étais-je pas supposée ne plus me donner en spectacle ? Ne puis-je pas, à la fin, cesser de beugler ? Dans l'incapacité où je suis de le faire, je tourne le dos à la foule et, flanc contre terre, les genoux ramenés contre ma poitrine, je pleure.

— Missiz, doctor bientôt.

La main de l'étranger s'est posée sur mon front. C'est bon, c'est comme une caresse, et aussi la dernière fois qu'un homme me touche. Avec douceur, il vient de glisser son blouson sous ma tête et, me souriant, me fait signe de ne pas bouger. *Quelqu'un a appelé. L'ambulance ne devrait pas tarder. Tout va bien se passer. Il ne faut plus pleurer.* Venu voir la tour Eiffel, Montmartre et les petites femmes de Pigalle, le Roumain ne s'attendait sans doute pas à tomber sur quelqu'un comme moi. Tout le monde est beau, tout le monde est heureux, dans cette Europe qui se refuse à l'accueillir. Les malades guérissent toujours et les vieux durent plus longtemps. Suspendue à son regard, je trouve en moi la force de supplier. Qu'il me ramasse avant que l'ambulance ne s'y emploie, qu'il me dépose n'importe où.

*

J'ignore quelle heure il peut être. Je ne saurais dire non plus ce qui est arrivé. J'ai glissé, un homme m'a portée, puis rien. Je ne me souviens de rien d'autre. Allongée sur un lit, je suis vivante maintenant ; mes pieds bougent, mes jambes, mes bras, mais la blessure, dans mon ventre, reste. Et il n'y a rien que je puisse faire pour la déplacer. Le corps en suée, j'ai une peur bleue de retirer mon linge. Nue, je deviendrai vulnérable. Le cancer fleurira et ne fera qu'une bouchée de moi. C'est la première fois que mon mal porte un nom. D'habitude, il s'annonce de façon insidieuse. Je ne suis pas si malade, normalement.

Un cafard femelle fait des ronds sur le plafond, et je jurerais qu'ils sont cent. Cent petits cafards dansent au-dessus de ma tête et le sommeil me prend brutalement.

J'ai dû me réveiller, parce que le sang avait coulé fort, et que mon corps, la chambre surtout commençaient à sentir. Je n'avais pas saigné ainsi depuis longtemps. J'en avais perdu la coutume ; depuis quinze ans, mon sang avait cessé de revenir. Je n'ai d'ailleurs jamais pu me faire à cette *nouveauté*. On a beau le savoir et s'y préparer, le fait que le sang de toute une vie puisse, un beau jour, ne plus apparaître est tout bonnement abominable.

J'ai frotté les draps comme j'ai pu ; le lavabo n'était pas bien grand. J'ai songé à appeler la réception, mais les gens, dans les hôtels, causent, et je ne souhaitais pas éveiller les soupçons. Le lit fait, j'ai nettoyé mes parties, puis bandé mon ventre avec une serviette de toilette blanche.

Parce que le jour viendrait bientôt, je me suis rassise sur le lit et ai ouvert ma valise. À l'intérieur, tout semblait sale et hors saison. Emballé dans du papier journal, il y avait aussi ce souvenir d'hôpital, cette boîte à musique qui avait appartenu à ma voisine de chambre et que je n'avais jamais pris la peine d'actionner. Sur ce point, je suis comme Jacques. Je n'aime pas m'encombrer de vieilleries ; je ne garde que ce qui marche. Maintenue en cage, rivée à son petit socle en plastique, la ballerine, en vérité, servirait encore longtemps. Dans son mouvement têtu et centrifuge, elle symbolisait la mécanique des femmes, cette incapacité à marcher le monde, à aller au-delà du périmètre autorisé. J'ai attendu d'avoir cinquante ans pour comprendre cela.

À cinquante ans, j'ai quitté ma maison avec, cette fois-ci, la ferme intention de ne plus y revenir. C'étaient les grandes vacances, Jacques et mes fils désormais grands ne rentraient que le lendemain. Il faisait chaud et l'aéroport d'Orly somnolait. Debout derrière leur guichet, des employés s'efforçaient de faire bonne figure, contenant leur ennui d'être au sol, jetant de temps à autre un œil sur leur montre ; il n'était toujours pas midi. Du temps à tuer, j'en avais moi aussi avant le décollage, trois heures exactement durant lesquelles j'aurais tout le loisir d'écrire à mes fils. En ce jour où j'avais fait choix de changer de vie, c'était à eux que je songeais fort. Je devais leur parler à cœur ouvert, sans craindre d'être maudite. Toutes ces années à faire semblant, faire celle qui sait, rit, gronde, berce par temps d'orage ou d'angines, toute ma vie à leur dissimuler mes rêves. C'est ce que disait la lettre. Et aussi, que je n'avais pas eu de parents. Que ceux qui m'avaient élevée m'étaient étrangers, des gens, des gens seulement, dont j'ignorais à peu près tout. À mes fils, je leur ai raconté Bernay, la maison au bout du chemin, l'odeur de propre dans les armoires, et aussi ces tiroirs qui, certaines fois, une fois, avaient contenu un secret. Ce qu'on leur avait appris à l'école était vrai, la France avait eu ses héros mais aussi ses pleutres, ces hommes qui, pour vivre mieux, n'avaient pas hésité à collaborer avec l'ennemi. C'est à ce genre de type que celui qui m'a conçue ressemblait. Aux fils, j'ajoutais enfin que c'était bien là la preuve qu'on ne connaissait jamais tout à fait ses parents. Ce n'était pas tout. Il me fallait annoncer que je ne reviendrais pas. Ce n'était pas une blague. Je ne faillirais pas comme autrefois, ce jour où les seins gonflés de lait, je m'étais sauvée de la maison. J'avais roulé deux heures avant de rentrer. Eux, fils, dormaient.

Midi a sonné, une hôtesse a informé les passagers et je me suis dirigée vers la salle d'embarquement. Amassés devant les comptoirs, des touristes guettaient le signal, impatients d'embarquer et de rompre avec la routine. Dans quelques semaines, ils reviendraient. Les mêmes, en moins blancs.

L'hôtesse appelle, et tandis qu'elle vérifie une dernière fois l'identité des voyageurs, je constate que j'ai toujours la lettre à mes fils sur moi, qu'il me faut la poster avant que mes aveux ne s'achèvent en monologue.

— Votre pièce d'identité s'il vous plaît?

Je vais m'exécuter, mais il me reste à accomplir cette tâche : chercher une boîte postale où déposer la lettre. Trouver cette fichue boîte où la glisser. Jusqu'à ce que l'avion pour Mexico décolle, j'ai cherché. Jusqu'à ce qu'une hôtesse m'annonce que, personnellement, elle ne pouvait plus rien pour moi.

J'ai dû passer des heures à expliquer mon cas, faire des kilomètres entre les différents comptoirs, et agents, et couloirs. Une journée à plaider mon cas tandis que des milliers d'avions s'envolaient, qu'un message de mon mari m'indiquait les horaires ; son train arriverait à 9 heures.

— J'ai de la place sur le vol de mardi. Mardi, même heure, ça vous ira?

Elle était de bonne volonté la fille qui s'appliquait, au nom de la compagnie aérienne, à satisfaire le client. Elle n'était pas désagréable à regarder, avec cette façon qu'elle avait de coincer ses cheveux derrière ses oreilles et de faire rouler le bic entre ses doigts.

— Bien sûr, il faudra tenir compte du supplément.

Sur le bic qu'elle continuait à faire tourner, je pouvais voir une superbe femme bleue en route pour je ne sais quelle destination. Ce devait être un pays chaud, la femme avait dénoué ses cheveux. Seule sur le tarmac, elle souriait à une famille invisible, en larmes, assurément, parce que la fille aux cheveux partait, que la ville d'où la fille aux cheveux partait ne dirait plus rien à personne après le décollage. Dans la vie, il y avait donc des gens dont la disparition déclenchait des drames.

Son bic à présent immobile, la jeune femme de l'agence m'observait, moins amène, sévère, depuis qu'elle avait compris que je ne partirais pas, ni mardi ni aucun autre jour. La complainte d'un nouveau client l'autorisa à me tourner le dos. Et mon billet pour nulle part en poche, la lettre à mes fils en moi, j'ai quitté Orly.

*

Je n'ai pas eu la force de descendre. Allongée sur le lit, j'ai regardé circuler les cafards. Toute la journée, je suis demeurée ainsi sans que personne ne frappe à la porte, ne l'ouvre pour me demander comment j'allais, ce que je mangerais, combien d'argent j'avais en poche. De l'autre côté du mur, il y en avait pourtant, des gens. Un homme qui criait après sa femme, une femme qui se lamentait, des cris qui cessaient quand le parquet du couloir grinçait, parce que l'homme avait soif de boire. De l'autre côté, il y avait aussi un couple qui faisait fort l'amour. On aurait dit une bête, la fille quand elle jouissait. Il lui faisait le sexe comme une brute, son homme. Mais elle s'en moquait, ce qu'elle voulait c'était qu'il la remplisse. Qu'on entre en elle, qu'on la *foutre*! C'est ce qu'elle hurlait derrière le mur. L'après-midi est venu, je l'ai senti aux ombres qui grandissaient dans la chambre.

Puis il a fait noir, une autre nuit blanche, à pisser rouge et à salir mes draps.

C'est lorsque le soleil s'est levé que le mal s'est enfui. Guéri, mon corps s'est carré dans l'espace, heureux de retrouver les gestes qui font du bien, ces petites choses qui rendent la vie possible.

Dans le couloir, j'ai croisé la femme de l'homme qui boit. Elle ne faisait pas l'âge de sa voix, c'est ce que je me suis dit tandis que, dans sa bouche de jeune fille, naissaient des mots d'excuse, elle espérait ne pas m'avoir réveillée. Il n'était pas 5 heures, son biquet ronflait, mais elle n'avait pas sommeil. Elle ne dormait jamais. Accoudée à la rambarde de l'escalier, elle a allumé une cigarette qu'elle m'a tendue. Je n'ai jamais aimé fumer, et m'y prends, du reste, fort mal, mais ce matin, j'ai accepté. Ce matin, oui, j'aurais fait n'importe quoi pour avoir le sentiment d'exister. Jusqu'à ce qu'elle se consume, cette cigarette me rattacherait au monde des vivants.

Nous fumions et, sur ses petites mains, s'étalait sa vie, ce destin de femme chienne qu'elle s'était bricolé dès l'enfance et qui lui tenait lieu de cage. Au bout des doigts mal colorés, s'agglutinaient les peurs, des nuits à se ronger les ongles tandis que l'amant cuvait, où, plantée derrière la porte, elle s'était juré de lui dire merde. Elle n'en ferait rien. Comme la poupée de la boîte à musique, mais avec toute la mauvaise foi des femmes, la fille resterait en place.

La dernière bouffée prise, je suis descendue dans la rue, dans l'avenue la plus large, là où j'étais sûre de rencontrer du monde. Et en effet, il y était, à peine levé et déjà en marche, profondément grotesque dans son opiniâtreté.

Qu'avait en tête cette femme, maintenue en laisse par son chien, qui, le voyant pisser à mes pieds, n'avait pas daigné s'excuser et avait poursuivi sa route ? Qu'avait-elle fait de sa vie pour être à ce point sûre de son bon droit, sûre d'occuper sa place, tout l'espace, d'en être exactement là où son âge, ses RTT, son petit cul lui avaient permis d'aller ? Et cet homme, juste derrière elle, que le spectacle de *fesses avec laisse* semblait avoir émoustillé, que cachait-il derrière sa gueule cadrée et sa démarche de singe dynamique ?

Le chien a traversé, la femme, l'homme, puis des portes se sont ouvertes, marquant l'entrée de la galerie commerciale. Éclairées au spot, décorées au raphia, la plupart des vitrines se ressemblaient. Toutes vendaient l'été, l'idée qu'on pouvait se faire de la saison quelques semaines avant qu'elle n'arrive. Aux sourires mesquins qu'affichaient les mannequins, on devinait néanmoins que le soleil ne durerait pas. Les corps grossiraient, les tissus moutonneraient, la rentrée reviendrait avec ses éternels bleu déprime.

— Je peux vous aider ?

Dans la boutique de lingerie où je me suis arrêtée, la vendeuse qui m'accueille n'espère aucune réponse. D'un geste ferme, elle m'engage à la suivre dans ce rayon à part où tous les modèles pour vieilles sont exposés. En vérité, la plupart sont cachés, hors cintres, hors temps ; j'ai vu ma mère dedans.

— Celui-là devrait vous convenir. La gaine est d'excellente facture.

Gaine, le mot est lâché et me blesse. Et pourquoi pas un cache-sexe pendant qu'on y est ? Un tue-l'amour à petit feu dans la mesure où il n'y aura bientôt plus personne à séduire ? Le pire, c'est ce rictus que fait sa bouche après parler. Un pli sans rien, mais qui en dit long, affirme que, puisqu'il faut de tout pour faire un monde, sa boutique a dû s'adapter aux besoins des seniors.

— Vous désirez passer ce modèle? Nous l'avons aussi en coloris chair.

Et si je lui avouais que c'est un string dont j'ai besoin, que, depuis tôt ce matin, j'ai le corps réparé et le sexe qui marche?

Elle a passé sa main dans ses cheveux et, avec une légère impatience, ajoute :

— Ce n'est pas mal non plus, en noir. C'est plus classique, et puis, au moins, ça ne risque pas de bouger au lavage. Je crois bien qu'il y a une petite promotion sur ce modèle. On va vérifier ça tout de suite.

— C'est fort aimable de votre part, mais voyez-vous, madame, j'ai pour moi d'autres projets. Ce qu'il me faut, c'est un string, ni chair, ni noir, mais parme avec de la dentelle blanche aussi écœurante que de la crème fouettée. Vous devez bien avoir un tel modèle dans vos rayons? Ces culottes-là plaisent toujours, surtout lorsqu'il fait beau.

Je n'ai pas eu à négocier. Les commerçants sont très arrangeants. J'ai eu trois strings pour le prix de deux, et il m'a même été permis d'en garder un sur moi. Dans le miroir de la cabine d'essayage, mes fesses semblaient avoir doublé de volume, mais la vendeuse m'a rassurée ; les slips Vanessa font souvent cet effet-là.

Dans la galerie où affluait une clientèle de midi, je me suis mise alors à penser fort à Jacques. M'avait-il totalement répudiée ou demeurais-je, malgré mes écarts, sa femme, cette mère dont les remords sauraient racheter la respectabilité? Car enfin, je n'avais pas fauté. Je n'étais pas partie pour un homme. Comme des milliers de femmes avant moi, j'avais perdu pied, je m'étais laissée aller. Mais je ne recommencerais plus. J'étais guérie.

*

C'est l'heure des enfants. Cela sent le fruit dans l'immeuble de la rue du Loing, une tarte orange qu'une honnête mère sort du four. Au quatrième étage, de nouveaux locataires ont pris le pouvoir. Une poussette obstrue le passage. Une plaque signale la présence d'un médecin, spécialisé en dermatologie et en maladies tropicales. Du lundi au jeudi, il soigne. Avant, après, les malades sont priés de se débrouiller. Il semble aussi que le sol ait été refait. Un lino gris clair a remplacé le parquet, qui, sans doute, *ne bougera pas au lavage*. Des années plus tôt, lors d'une réunion de copropriété, un projet de rénovation du bâtiment avait été proposé. Par souci d'économie, Jacques avait voté contre, et, en homme d'expérience, était parvenu à imposer son point de vue. Tant que nous y vivrions, l'immeuble demeurerait tel quel. Rien ne changerait, la façade ouest, la concierge, la cage d'ascenseur. À cette réunion, il y avait aussi ce couple d'Italiens, accoutumés à garer leur moto dans le hall. Accusés, par mon mari, de dégrader les parties communes, ils avaient riposté en nous traitant de sales racistes et de bourgeois. Et nous l'étions, vraisemblablement, rivés à nos façons, aveuglés par nos œillères, convaincus, parce que nous voyagions souvent, d'être au-dessus du lot, curieux des autres, poreux. Nous l'étions, oui, lorsque de retour au quatrième, nous nous étions réjouis de retrouver nos murs, nos meubles, et nos gueules en couleurs dans les cadres photos.

L'odeur des autres, dans le couloir, a quelque chose d'ignoble. L'oreille collée contre leur porte, je les écoute se farcir la couenne. Pour rien au monde, ils ne souffriraient d'être dérangés, ne se lèveraient pour voir qui a sonné, qui a osé, en plein cœur de la journée, mettre du désordre. Ce ne peut être qu'un charlatan, celui qui sonne à pareille heure, l'un de ces vendeurs sans vergogne, et dont mon mari fut. Ce n'est rien, ce n'est que moi. Mais mes voisins n'en ont cure.

Quelques pas, à peine, me séparent de Jacques et j'appréhende nos retrouvailles. Se peut-il que mon mari hésite à me reprendre et que je doive passer la nuit à défendre ma cause ? Quoi qu'il en soit, je m'abstiendrai de geindre. Les hommes ne supportent pas les femmes hystériques. Notre paillasson a changé, celui-là fait plus convivial ; une étoile de mer rouge sur fond bleu. C'est bon signe, la preuve que mon époux est de bonne humeur, et saura apprécier, à sa juste valeur, mon retour dans notre foyer. Il y a six mois, je quittais ma maison. Il n'était pas midi, il ne faisait pas froid, mais c'était comme si le soleil ne devait jamais plus monter. En bas, l'ambulance m'attendait. On aurait dit qu'elle me connaissait, qu'elle avait toujours été garée là, pour moi. Lorsqu'elle a démarré, il paraît que certains de nos voisins l'ont suivie longtemps des yeux. Qu'il y en a un qui a murmuré que je ne reviendrais pas de sitôt, qu'il fallait que je sois rudement malade pour descendre les quatre étages en civière. J'étais à l'hôpital lorsque je me suis réveillée.

Être à la porte de chez soi et n'avoir pas la bonne clef pour y entrer est profondément humiliant. J'ai dû me tromper de jeu, à moins que ce ne soit l'humidité qui déforme tout, jusqu'au trou des serrures. Je me suis bien trompée, et me vois dans l'obligation de frapper. Derrière la porte, le corps de mon mari, pourtant fait à l'espace, sursaute. Le voilà qui longe à grands pas le couloir, écrase la queue du chat avant de coller son œil au judas. Mon mari se racle la gorge et, souhaitant connaître l'identité du visiteur, interroge. Chut, Jacques, patience ! Je vais tout te raconter. Mais, avant tout, offre-moi à boire ! *J'ai soif, mon corps tout entier a soif.* Assieds-moi, mange-moi, dis-moi, juste pour la forme ou pour le plaisir, combien je t'ai manquée. Assure-moi que tout ce que j'ai découvert sur toi, ce fameux matin où je me suis enfuie de l'hôpital, tout ce bonheur que j'ai pu entrevoir depuis le trottoir de notre immeuble, était un mirage. Consens à me récupérer, Jacques, et même si, à moi, l'idée d'avoir à te toucher me répugne.

Mais je n'ai pas le choix.

Je n'ai pas le choix parce que, dehors, tu vois, il n'est plus une seule personne qui veuille encore de moi, que, de nos jours, tu sais, les gens passent leur vie dans les centres commerciaux. Acheter du neuf et liquider le vieux, c'est ce qu'ils font, tout le temps, les gens.

La porte s'est ouverte, mais ce n'est pas mon bon vieux Jacques qui me fait face. Debout dans l'embrasure, un étranger m'observe et s'explique.

— Vous devez faire erreur. Il n'y a pas de Jacques Singer ici, mais peut-être qu'en demandant en bas, on vous renseignera. Moi, j'ai emménagé la semaine dernière, alors... Mais vous pleurez, madame ? Madame ? Oh ! Il ne faut pas vous mettre dans cet état-là pour ça. Voulez-vous que je descende avec vous pour...

Dans la cage d'ascenseur où je m'engouffre, j'entends s'étouffer des rires. S'agit-il d'une farce ? A-t-on voulu me réserver une surprise ? Cela ne serait guère étonnant ; mon mari est coutumier du fait. Chaque année, il me fait le coup. À chaque anniversaire, j'ai droit à la même formule : la lumière qui s'éteint, le gâteau à étages qu'on allume, le *happy birthday to you* d'amis surgissant de nulle part, et, déjà, dans mon salon.

Mais aujourd'hui, personne n'a pensé à moi. Aujourd'hui est un jour ordinaire, un jour de plus pour la concierge qui, m'entendant renifler, s'empresse de quitter sa loge pour venir me saluer. Elle jubile, Simone ou Thérèse, en voyant mes larmes de plus près, et, en professionnelle du ménage, s'applique à ne rien laisser traîner.

— Une dame aussi bien élevée que vous ! Je me disais bien encore que vous n'étiez pas du genre à abandonner votre foyer. On part quand on n'a pas d'instruction, quand on n'a pas de morale, mais vous... Vous, vous savez ce qu'il faut faire.

Je grommelle une réponse, et une expression de profonde stupéfaction éclate sur son visage. Elle qui a toujours cru en une hiérarchie entre les êtres, que le fait même de loger, manger, rêver au rez-de-chaussée, *sous les autres*, a formée à n'avoir du monde qu'une vision pyramidale, elle qui ne s'est jamais autorisée à remettre en cause quoi que ce soit, se refuse à compatir et à m'épargner.

— Il est parti le mois dernier. Il y en avait des choses à descendre. On ne s'imagine pas tout ce qu'on peut accumuler dans une vie. Ça fait bien vingt ans que vous vivez ici, non ? Il devait revenir récupérer le courrier, mais tu parles ! C'est toujours comme ça, les gens quand ils déménagent. C'est comme s'ils étaient morts. Plus de nouvelles ! Plus de nouvelles, bonnes nouvelles, remarquez, mais enfin on aimerait bien savoir ce qu'ils deviennent. C'est drôle, ça, que personne ne vous l'ait dit, je pensais que vous saviez. Mais dites-moi, qu'est-ce que je fais, moi, du courrier ? Je le fais suivre, ou bien ?

*

J'ai récupéré toutes les lettres, et aussi l'adresse où mon mari était censé habiter. Une rue avec un nom de fleur, loin des bennes, loin de la ville, où l'on avait le sentiment d'être enfin chez soi. J'ai fermé les yeux et me suis représenté la maison. Elle était comme dans les dessins d'enfants, avec un toit pointu, des fenêtres sans volets, une cheminée qui fume, plantée à droite d'un soleil rond et jaune. Dans un carré vert, Gustave veillait, plus gros que dans la vraie vie, la gueule baveuse, belliqueuse ; il sauterait sur l'étranger.

À cause des rideaux, je n'ai pas vu la cuisine, ni la salle, ni les chambres qui devaient être claires, qui devaient sentir bon ; on devait bien y dormir. Parfois, il arrivait que l'homme qui est mon époux ouvrît toutes les fenêtres, en observât la coutume et bien qu'il n'habitât là que depuis quelques semaines. Jusqu'à ce que la nuit entre tout à fait, l'air circulait dans les pièces. Une nouvelle vie, en somme.

Qu'avaient bien pu penser nos amis en voyant *se refaire* Jacques, y avaient-ils contribué, ou s'étaient-ils montrés soupçonneux ? Comment avaient-ils réagi lorsque, de sa voix fluette et dans une demi-moue de faux cul, il leur avait annoncé que je ne reviendrais plus. En dépit de tous ses efforts, je demeurais *portée disparue*. Louise n'en a toujours fait qu'à sa tête, avait-il peut-être ajouté, tandis que la bouche en cœur, les mains dans les poches, il leur faisait faire le tour du propriétaire.

En longeant le quai de la gare d'où partait le petit train pour la rue aux fleurs, j'ai croisé l'Anglaise de Casablanca. C'était elle, et bien qu'elle parût ne pas me reconnaître, aussi disponible qu'elle l'avait été par le passé. Accrochée au bras de son homme, elle l'aimait *en gros*, indifférente aux détails, à cette manie qu'il avait d'interroger son portable et de s'assurer que son gel tiendrait bien. Je ne les enviai plus. L'ignorance, qui était leur jeunesse, finirait par les perdre. Ne valait-il pas mieux être au fait, et ne plus rien espérer ?

C'est à cela que je songeais, lorsque, l'enfant de Pierrick né, Jacques et moi étions allés lui rendre visite. Il m'avait coûté de le faire. Je haïssais l'immeuble où vivait mon fils, cette odeur de crasse, qui, à heures régulières, comme fixées par décret, s'immisçait dans les appartements et écœurait. Ce logement HLM, qu'il occupait par principe, et où, cet après-midi-là, il trônait, lui, plus elle plus l'enfant, impassibles, inaccessibles depuis le canapé qu'ils n'avaient pas daigné quitter pour nous embrasser. Nous ne leur étions plus rien, semblaient-ils affirmer, à présent qu'ils étaient parents. Bien entendu, je n'avais pas bronché. Je m'étais contentée de sourire dans le vide, puis à l'enfant, pendu aux mamelons d'une mère, irritable, depuis qu'elle le nourrissait, haineuse envers mon fils. Comme un chien, elle parlait à Pierrick, comme un gosse qu'elle regretterait toujours d'avoir nourri. Car ne l'avait-elle pas fait presque entièrement ? Ouvert, le Mercier était demeuré intact, les flûtes, vides, jusqu'à ce qu'une main finisse par les ranger. Ils n'avaient rien voulu recevoir de nous et le cadeau fait à l'enfant, encore emballé sur la table, marquait la fin d'une époque de faux-semblants. Père, Pierrick nous fermerait sa porte. Enfoncée dans mon fauteuil, je me pris à observer mon petit-fils. Je regardais ses pieds, précieusement emmitouflés, mais qui finiraient bien par quitter l'immeuble. Bientôt, viendra la solitude, avais-je envie de hurler dans les oreilles bouchées de mon fils. Bientôt, l'enfant ingrat partirait, Pierrick vieux pour de bon regretterait, se rappellerait peut-être ce jour particulier, où, assis en face de moi, faisant bloc avec les siens, il me reprochait de l'aimer encore. Blessée, j'étais allée prendre l'air sur le balcon. Fallait-il sauter pour que Pierrick aille mieux et n'ait plus lieu de me reprocher quoi que ce soit? Il y eut un cri — l'enfant sans doute — puis ils se levèrent, elle et lui, elle devant lui, pour nous annoncer qu'il était temps de partir maintenant. La porte s'est refermée d'un coup. D'un coup, nous avons pris l'escalier, pleins de cette odeur infâme et de ce sentiment que nous avions perdu quelque chose. Ce dont aiment à se nourrir les hommes, ce fichu mythe de la descendance, venait de nous être brutalement retiré. Après nous, viendrait le vide. Devant nous, commençait la cité, des barres, une enfilade de réverbères, lâchant, sur la dalle en béton, leur lueur malpropre et inutile.

J'ignore encore qui des deux s'est mis à évoquer le mal dont souffrait Pierrick. Nous en avons parlé, c'est un fait, jusqu'à ce que, morts de honte, nous nous jetions dans les bras l'un de l'autre et hurlions notre coresponsabilité. Nous avions péché et ne l'admettions qu'à présent, là, dans cette nuit à jeun, sans hall ni concierge ni issue de secours. Là d'où notre fils jamais ne s'en irait parce que mon mari et moi, autrefois, l'avions sacrifié.

Je ne pensais pas à mal, c'est ce que tu m'avais soufflé, Jacques, quand nous avions atteint la voiture et que, vérifiant si l'autoradio y était toujours, tu avais hésité à mettre de la musique. À ma place de mauvaise mère, je m'étais tue pour écouter la fin de l'histoire. La suite, c'était avant, bien avant que je ne te surprenne, et que notre cher petit bout de fils se mette à présenter *des troubles du comportement*. Avant, c'était aux douze ans de Pierrick, que nous avions fêtés ensemble, jusqu'à ce qu'épuisée, je parte me coucher et vous laisse, toi et lui, vous mes hommes, seuls sur le canapé du salon. Une télévision jouait, je me souviens. La télé a joué toute la nuit. C'est l'enfant qui a commencé, en disant qu'il voulait en avoir une comme la tienne quand il serait grand. Ce n'était rien, n'est-ce pas que cela n'a toujours été qu'un jeu entre vous? Jacques s'est remis à pleurer. Ne savait pas, se figurait que, ou plutôt, non, il n'aurait jamais imaginé qu'en voyant son papa à peine nu, son fils eût pu en faire toute une histoire.

— J'ai été maladroit, certes, mais je te le répète, je n'ai pas abusé de Pierrick. Je n'aurais jamais fait de mal à mon fils !

L'argument est assez solide pour que j'y adhère, le ton assez sincère pour que j'éprouve de nouveau le besoin de faire alliance avec mon mari. C'est donc sauf et blanchi, que Jacques démarre et nous reconduit dans notre foyer.

Car il est vrai que parler donne faim.

Moi aussi, j'ai mangé. Moi aussi, j'ai préféré garder la bouche pleine. J'aurais même tout donné pour que ce poulet fumé nous étouffe. Que s'est-il passé pour que la honte cesse de m'habiter? Qu'ai-je fait à mes enfants, Seigneur?

Vous vous taisez, naturellement. Comme d'habitude, vous nous jugez en silence. C'est ainsi que vous avez toujours fait. C'est ainsi que les hommes vous aiment et vous craignent. Pour autant, ne comptez pas sur moi pour en être. Même vieille, même malade, je ne mangerai pas de ce pain-là. Car ce pain-là m'écœure, figurez-vous, me rappelle tout ce que maman a dû faire pour vous plaire. Vous lire autant, vous prier tant pour, à la fin de sa vie, crever sec. Croire sur parole en votre immortalité tandis que sa chair à elle flétrissait, rendait son jus visqueux et nauséabond. Toujours pas un mot, Seigneur ? Eh bien, ta gueule ! Je n'ai plus rien à perdre.

*

Le quartier dans lequel je m'engage est comme la campagne en hiver. Une terre où j'avance sans repères, sans tous ces signes qui, d'ordinaire en ville, vous suggèrent ce que vous pourriez faire : savourer une crêpe, faire du shopping, aller au cinéma. Il y fait lourd, comme avant l'orage, sombre, et bien qu'il ne soit pas très tard. Derrière les grilles de jardins impeccables, des vies s'organisent. Un bras nu de mère ramasse le linge, des ombres de bêtes courent après une balle. Dans le cul de venelles, loin des habitations, il y a aussi la jeunesse qui joue au docteur. Sous le nez d'un plus jeune qu'elle, une gamine déboutonne son corsage. Elle tremble et je rougis. Pas de honte, mais de plaisir ; moi aussi, quand j'étais jeune, j'ai aimé. Moi aussi, j'ai eu un cœur qui bat, une tête qui tourne, une toute première fois. Mon premier homme m'a eue dans une chambre d'hôtel. Il faisait noir, il ne m'a pas regardée. Sans doute aurait-il pris peur en me voyant. J'avais sur mes lèvres le sourire des mortes, cette nuit où j'ai été faite femme. Mais je ressasse.

J'y suis. Dans quelques mètres, je serai chez Jacques et attends qu'une voiture veuille bien me laisser traverser. Attentive à mon ombre, seule partie de moi-même à ne pas être endommagée, je me risque à traverser, frissonne à l'idée qu'un véhicule mal intentionné pourrait vouloir me faucher. Je crois donc encore à la vie. Depuis son trou, ma mère se redresse et me rappelle le premier commandement : Garer son corps en lieu sûr et ne jamais traîner dans un quartier que l'on ne connaît pas. Si tu savais, ma petite mère, le nombre de fois où je t'ai désobéi ? Où, pour grandir, j'ai dû prendre des chemins de chien ? Ces routes qui font des bleus, sans feux, ni bornes, ni panneaux, ni tout ce à quoi tu m'as appris à me fier, en cas de danger.

De reconnaître notre nom sur la boîte aux lettres me réconforte. J'ai bien fait de rentrer. Ici est ma place, un pavillon avec une porte d'entrée blindée et des rideaux à fleurs aux fenêtres. Une maison, comme nous l'avions rêvée, que nous avions programmé d'acheter lorsque nos fils deviendraient des hommes. *Avant*, je m'étais même imaginé y vieillir, une fin de vie sans histoires, avec des grillades-parties le week-end, un tilleul menthe en sachet, le soir, après le film.

J'ai préféré frapper pour être sûre. Deux coups secs, pour être certaine d'être entendue. Les sonnettes ne sont pas fiables, il suffit d'un rien, un fusible qui saute, une coupure d'électricité, pour se retrouver à la porte de chez quelqu'un pendant des heures. C'est de mon mari que je tiens cela. Et je veux bien le croire ; Jacques a toujours su forcer les portes. Des mois que je vais sans lui, fais sans lui, dors et mange seule, pour autant, je ne me suis jamais sentie aussi solidaire de mon mari qu'en ce jour. En moi, je porte ses tics, jusqu'à cette valise que je trimballe dans toute la ville, à l'exacte ressemblance de la sienne. Même marque, même cuir, même couleur que celle qu'il avait quand nous nous sommes connus. Mais ne suis-je pas là pour me vendre ?

Plusieurs minutes se sont écoulées, le temps de me composer un sourire, d'apercevoir, derrière les rideaux, sa silhouette, assise, puis en marche; Jacques approchait. Il n'a pas semblé surpris de me revoir. Je veux dire, ses mains, il ne les a pas frottées comme il fait d'habitude lorsque quelque chose le préoccupe. Impassible, il a laissé courir ses yeux sur moi, sur cette poudre, toute cette poudre dont je m'étais enduite et qui, de près, passait pour du plâtre. Je ne sais pas ce qui m'avait pris d'en mettre autant, d'en faire autant, après tout ce qui s'était passé.

— Tu as bonne mine, Jacques.

— Je me maintiens.

Puis il me pria d'entrer, s'excusant pour le désordre; l'installation prenait du temps. Assise sur le canapé où Gustave, tant de fois, avait fait ses griffes, je dévisage mon mari. Pour sûr, il n'a pas changé. Le même qui, à l'hôpital, avait menacé de ne plus revenir. Et il avait tenu promesse.

— Comment vont nos enfants?

Jacques grimace et me prévient qu'il n'est pas dupe. Il ne croit guère à mon numéro de mère Noël. Si je m'étais souciée de mes fils, je n'aurais pas manqué de leur donner des nouvelles. Je n'aurais pas fait le mort. Aurait su, devrait savoir qu'une mère reste une mère, quoi qu'il advienne. Le ton se radoucit lorsqu'il me propose un verre d'eau fraîche. Regrette-t-il de s'être montré si grossier? Se rappelle-t-il le verdict de Superman?

— Je ne suis plus malade, Jacques. Les médecins me l'ont juré. Ils disent que c'est une question de mental, qu'il est des cancers qui se soignent avec la tête.

Le profil lisse, son petit corps sec planté dans son salon, mon époux hoche la tête. Il fait semblant. Fait mine, également, de n'avoir pas remarqué ma valise, même couleur, même modèle que la sienne et qui, posée, comme de droit, sur son fauteuil, révèle clairement mes intentions. En fond sonore, pendant les blancs, j'entends se faire une lessive. Je me lèverais bien pour vérifier le programme. Mon mari n'a jamais su se servir de notre machine. Je vais me lever, oui, pour éviter le pire, avant que le linge ne ressemble à du carton.

Mais quelque chose a changé.

Je ne savais pas que Jacques appréciait les fleurs. Sur la table, pile au centre, une demi-douzaine de tulipes montent au ciel. Elles viennent d'un jardin. Ce matin, quelqu'un a pris le temps de les cueillir, d'en retrancher l'extrémité avant de les porter jusqu'ici. Ainsi font les gens, dans les lotissements pavillonnaires. Touché par le geste, et pour ne pas déplaire, mon mari les a placées en évidence. On ne peut pas ne pas y prendre garde. On ne peut pas manquer d'être intrigué par leur présence ; car non, décidément, Jacques n'a jamais aimé les fleurs. Je retirerais bien mes chaussures. Marcher autant épuise. Je glisserais volontiers mes pieds dans un bidet d'eau tiède. La plupart des salles de bains en sont pourvues. Je demande à Jacques de m'y accompagner, mais quelque chose, dans la pièce, a changé. Debout, assis, debout, mon mari frotte ses mains. Il faut que tu saches, répète-t-il confusément. *Quelque chose a changé.*

Ma main qui tremble renverse mon verre. Mon mari a changé.

Mes jambes qui flageolent ne savent que faire. Il m'a trompée. On ne peut compter que sur les morts.

Vais-je finir comme une bête, à quatre pattes, plus bas que terre ? Si j'étais un homme, si j'en avais, je bombarderais Jacques d'injures et lui recracherais dans les oreilles les termes exacts du contrat : *pour le pire et pour le meilleur*. Qu'il ait au moins le tact d'attendre que je meure ! Qu'il ait la décence de faire le sexe avec une jeune ! Laurence ! Même papa mort n'y toucherait pas. Vissé à sa chaise, petit mari ne faiblit pas. Sans pudeur ni scrupules expose ses raisons. Les hommes de son âge ont besoin de servir. Leur désir dure longtemps. Je lui demande combien de temps et ne puis m'empêcher de comparer. Qu'a-t-il de plus que moi ? En quoi mon sexe est-il plus rassis que le sien ? Plus durs que des coups de poing, ses mots à présent me saignent. Rouge de honte, je me laisse cogner jusqu'au bout. Incapable d'aimer, égoïste, manipulatrice, malfaisante, voilà ce que je suis accusée d'être. Et aussi froide, amère, frigide. Pas comme Laulau — et il y a, dans l'utilisation spontanée de ce surnom, cette irréversible familiarité entre Jacques et sa maîtresse. Elle vaut plus que cela, en vérité. Ces deux-là s'aiment, planteront beaucoup de fleurs, ont la vie devant eux.

— Je suppose qu'il n'y a plus rien à espérer ?

Jacques s'est tu et a posé sa main sur mes cheveux. Sa pitié m'arrache des larmes de colère. J'ai le sentiment de m'être fait duper, d'avoir vécu et vieilli pour rien. *On n'a que ce qu'on mérite*, me souffle ma mère avec son air de sainte-nitouche et de femme de grosse vertu. Et d'elle, que devrais-je penser ? Comment comprendre qu'elle n'ait rien dit, rien fait chaque fois que son maître et homme s'enrichissait sur le dos des juifs ?

— Vous avez fait l'amour ?

Mon époux s'est levé et, me tournant le dos, soupire, plein de cette lâcheté d'hommes qui dispense d'être adulte. Au chaud dans son salon, l'homme que j'ai vu jouir entre mes cuisses prétend donc ne plus rien me devoir. Il n'a plus à me supporter. Je n'ai pas à lui expliquer le comment de mon dégoût, le pourquoi de mon retour, ce *pourquoi pas* qui, depuis hier nuit, me trotte dans la tête, me donne à penser que la mort serait plus douce à deux. La machine à laver s'est arrêtée, Jacques s'est levé et m'intime l'ordre de partir. Il se fait tard, Laurence ne devrait pas tarder ; ils ont prévu de sortir. Me remerciant pour le courrier, il ouvre la porte en grand comme l'on fait pour chasser une mouche ou la poussière. Mais ne vaux-je pas mieux que cela ?

— J'ai besoin de toi, moi.

Ainsi avouais-je à Jacques, tandis qu'il me poussait vers la sortie. Qu'accrochée à la porte, je le suppliais de me garder auprès d'eux — on garde bien les chiens. Je saurais rester discrète. Il n'aurait pas à se plaindre. Je me ferais minuscule lorsque Laulau reviendrait. Mais Jacques hausse les épaules. Il connaît la technique. Il connaît bien les pacotilleurs. Ils font les gentils, ils font des promesses, puis d'un seul coup vous couillonnent.

— Ne fais pas l'enfant, Louise ! Je t'en prie, relève-toi !

Le désespoir serait-il donc l'apanage de la jeunesse ?

— Ne sois pas ridicule, les voisins risquent de nous voir.

Eh bien, qu'ils regardent ! Regardez bien, ladies et gentlemen, aujourd'hui, mon mari et moi avons le plaisir de vous présenter le nouveau show de l'été ! Hip hip hip hourrah, pour notre bonne vieille Citronnelle, telle que vous ne l'avez encore jamais vue ! En string, mesdames et messieurs ! En string ! !

Tapis derrière leurs fenêtres, les locataires de la rue aux fleurs se gardent bien d'applaudir. Un tel scandale ne saurait se produire chez eux. Pour y parer, sans doute ont-ils fait ce qu'il fallait. Un jour (la date figure quelque part dans un dossier), ils ont fait choix, ces gens bien comme il faut, de se séparer de leurs vieux, de les placer en lieu sûr, là où on saurait s'en occuper jusqu'au bout, jusqu'à ce que couvert d'escarres, de croûtes, de pus, le corps, encombrant, s'effrite. Quelque chose a bougé ; les familles de la rue de Jacques ont tiré les rideaux. Leur conscience est bonne. Mon spectacle ne les concerne pas.

Qu'ils démissionnent m'est égal. C'est à Jacques que je réserve ce strip-tease, en hommage au bon vieux temps, et malgré ses menaces. Prenant sa tête de con et sa voix du vieux qui va se faire piquer son sac, mon mari promet d'appeler la police si je n'arrête pas immédiatement mon cirque. Qu'il le fasse ! Ses flics ne peuvent rien contre moi. Qui oserait condamner une vieille pour attentat à la pudeur ? Dans l'allée rose tulipe, j'ai dégrafé mon soutien-gorge et retiré le bas. Mes seins ont chu, mes fesses ballottent, mais je ne me suis jamais sentie aussi libre qu'en cette heure. Derrière les grilles de jardins impeccables, je rêve qu'une petite fille danse. Elle tourne puis s'apprête à voler. Sa tête est assez dure pour le vouloir. La vendeuse avait raison ; j'aurais dû choisir une culotte noire. On aurait moins pris garde au sang, à cette tache rouge en train de se répandre sur le nylon. Jacques a reculé, mais il n'y a pas lieu de me craindre. Mon mal ne se donne pas, c'est ce que les médecins disent.

C'est lorsque mon mari s'est mis à pleurer que j'ai su qu'il n'y aurait plus rien à espérer. Mon histoire finissait. À présent, mon corps sécherait pour de bon. Parce que ces grandes choses-là n'attendent pas, je me suis habillée à la hâte et ai récupéré ma valise là où je l'avais laissée. J'ai souri en saluant Jacques. Et puis j'ai marché. De loin, je devais ressembler à rien. À l'une de ces bonnes femmes qu'on voit passer mille fois dans une journée.

DANS LA MÊME COLLECTION

José Eduardo AGUALUSA
La saison des fous

Kangni ALEM
Un rêve d'Albatros

Théo ANANISSOH
Lisahohé
Un reptile par habitant

Nathacha APPANAH
Les rochers de Poudre d'Or
Blue Bay Palace
La noce d'Anna

Mariama BARRY
Le cœur n'est pas un genou que l'on plie

Pascal BÉJANNIN
Mammo

BESSORA
Cueillez-moi jolis Messieurs...
Et si Dieu me demande, dites-Lui que je dors

Mongo BETI
Le Rebelle I
Le Rebelle II
Le Rebelle III

Florent COUAO-ZOTTI
Poulet-bicyclette et Cie

Ananda DEVI
Pagli
Soupir
Le long désir
La vie de Joséphin le fou

Aly DIALLO
La révolte du Kòmò

Justine MINTSA
Histoire d'Awu

Boniface MONGO-MBOUSSA
Désir d'Afrique
L'indocilité   Supplément au Désir d'Afrique

Scholastique MUKASONGA
Inyenzi ou les Cafards
La femme aux pieds nus
L'Iguifou Nouvelles rwandaises

Tidiane N'DIAYE
Les Falachas, Nègres errants du peuple juif
Le génocide voilé

Abasse NDIONE
Mbëkë mi   À l'assaut des vagues de l'Atlantique

Donato NDONGO
Les ténèbres de ta mémoire

Patrice NGANANG
L'invention du beau regard

Arnold SÈNOU
Ainsi va l'hattéria

Amal SEWTOHUL
Histoire d'Ashok et d'autres personnages de moindre importance
Les voyages et aventures de Sanjay, explorateur mauricien des Anciens Mondes

Sami TCHAK
Place des Fêtes
Hermina
La fête des masques

Amos TUTUOLA
L'ivrogne dans la brousse

Abdourahman A. WABERI
Rift   Routes   Rails
Transit

Composition Interligne.
Achevé d'imprimer
sur Roto-Page
par l'Imprimerie Floch
à Mayenne, le 3 décembre 2009.
Dépôt légal : décembre 2009.
Numéro d'imprimeur : 75310.

ISBN 978-2-07-012717-7 / Imprimé en France.

170764